Cómo superar un problema sexual

Protocolo IDIES

Conocimientos Generales

Cómo superar un problema sexual

Protocolo IDIES

Conocimientos Generales

David Cueto
Miguel Ángel Cueto

—

Primera edición: 24 febrero 2021

Cómo superar un problema sexual. Protocolo IDIES: Conocimientos Generales

Diseño de la portada: Alba de la Torre González

Dibujo de la portada: Isabel Medarde Oliden

Diseño gráfico de dibujos: Loreto Dorado Silva y Miguel Ángel Cueto

Editado por Cepteco. Plaza Cortes Leonesas, 9-6º Dcha. 24003 León (España)

www.cepteco.com / info@cepteco.com

Título de la obra en dos volúmenes: Cómo superar un problema sexual

ISBN de la obra: 978-84-121834-2-9

ISBN de este libro: 978-84-121834-1-2

Depósito legal: LE 286-2022

—

La tinta que se utiliza no lleva cloro y el tipo de papel interior no lleva ácido. Ambos productos son suministrados un proveedor certificado por el Consejo de Administración Forestal (FSC, Forest Stewardship Council). El papel está fabricado con un 30% de material reciclado de residuos

AGRADECIMIENTOS

Queremos agradecer a nuestros pacientes la confianza que han depositado en nosotros para poder desarrollar este protocolo (IDIES) y enseñarnos a mejorarlo con su inestimable confianza y con sus esfuerzos en superar sus problemas sexuales. Sin ellos no hubiera sido posible este libro.

Igualmente, agradecemos las pacientes revisiones de Mª Carmen García que ha logrado pulir y mejorar el texto y a Ana Marcos por sus correcciones y su apoyo en nuestro devenir.

ÍNDICE

INTRODUCCIÓN

Este libro presenta el protocolo sistematizado de intervención en terapia sexual **IDIES** en dos volúmenes para los diferentes problemas que puedan surgir en las relaciones sexuales y de pareja, mostrando los aspectos prácticos de las técnicas utilizadas en la terapia sexual. El objetivo es ayudarles en todo lo relacionado con su sexualidad: sus deseos, sus miedos, sus dudas sobre la frecuencia de la conducta, cuándo y qué hacer si se padece un problema sexual.

En este *primer volumen* se define lo que es un problema sexual, las fases de la respuesta sexual, el protocolo IDIES y los diferentes problemas y disfunciones masculinas y femeninas. En el *segundo volumen* se muestran las técnicas específicas comentadas ampliamente sobre cómo llevar a cabo el tratamiento de las diferentes disfunciones sexuales que han demostrado su eficacia en la terapia sexual y de pareja.

IDIES (Información, Diagnóstico, Indicaciones, Evaluación y Seguimiento) se basa en la dilatada experiencia de los especialistas que lo hemos sistematizado y mejorado a través de la intervención clínica en terapia sexual y de pareja.

Es un protocolo útil que también resulta válido para la terapia online. Se basa en el desarrollo de orientaciones, factores educativos e indicaciones que ayudan a las personas a mejorar y superar sus problemas sexuales. Centra su atención en recabar **Información** precisa que ayuda a clarificar el problema. Se lleva a cabo un **Diagnóstico** donde se valora el Análisis Funcional de la conducta sexual. Más tarde se comentan las diversas alternativas mediante **Indicaciones** que ayuden a superar el conflicto sexual para, posteriormente, valorar si han sido eficaces mediante la **Evaluación** de los progresos o cambios o mejoras a desarrollar. Finalmente, se realiza un **Seguimiento** para reforzar los progresos obtenidos y cómo evitar las recaídas en futuros encuentros sexuales.

1. Los problemas sexuales

Los problemas sexuales son frecuentes. Masters y Johnson afirmaban que la mitad de las parejas heterosexuales, durante su relación, presentaban algún problema en su respuesta sexual. Hay que desterrar el mito de que las relaciones sexuales suelen salir siempre bien. La realidad suele ser que de cada 10 veces que hacemos el amor una suele ser estupenda, otra un desastre y el resto suelen ser simplemente normales.

Para disfrutar del sexo conviene tener un buen estado de salud. En ocasiones los problemas sexuales están asociados a problemas físicos (hipertensión arterial, diabetes, obesidad mórbida, dislipemia...), además de al consumo de drogas y fármacos. Otros factores importantes son el estrés, la ansiedad, la depresión y, por supuesto, la relación con la pareja.

Cuando surgen dificultades es bueno hablarlo y no usar el sexo como estrategia culpabilizadora y así evitaríamos herir o enfadar a la pareja o a nosotros mismos. Es razonable tomarse las cosas con calma y no preocuparse demasiado dado que la mayoría de los problemas suelen solucionarse con una mejor educación sexual, hablando de los propios sentimientos (miedo, vergüenza) e intentando no pensar que el otro ya no me quiere, ya no le gusto, ya no le excito, tendrá otro/a... o pensamientos por el estilo. La excesiva preocupación puede aumentar un problema sexual menor agravándolo.

Una de las actividades que indican una mayor satisfacción emocional es la de mantener relaciones sexuales con la persona amada. Desde nuestra experiencia para ayudar a las parejas en sus disfunciones sexuales, hemos observado que los problemas más frecuentes son, en la mujer, la falta de deseo, molestias, dolores vaginales al realizar la penetración o imposibilidad de la misma o dificultad para conseguir el orgasmo. En el hombre los problemas de disfunción eréctil, eyaculación precoz o retardada junto a la dificultad para complacer a su pareja son los más habituales. En la población general los problemas sexuales suelen estar asociados a sus tendencias sexuales, vivencias de su sexualidad por la presión social (homosexualidad, transexualidad, fetichismo, asexualidad...), así como insatisfacción, adicción sexual, deseos sobre impúberes...

Los problemas sexuales son relevantes en el bienestar y la salud de los individuos y guardan una estrecha relación con la calidad de vida. Ya la OMS (2002) definía la Salud Sexual como la integración de las facetas somáticas, emocionales, mentales y sociales del ser sexual, de forma que enriquezca y mejore aspectos como la personalidad, la comunicación o el amor. Propiciaría "un estado de bienestar físico, emocional, mental y social relacionado con la sexualidad; no es meramente la ausencia de enfermedad, disfunción o incapacidad. La salud sexual requiere un acercamiento positivo y respetuoso hacia la sexualidad y las relaciones sexuales, así como la posibilidad de obtener placer y experiencias sexuales seguras, libres de coerción, discriminación y violencia. Para que la salud sexual se logre y se mantenga los derechos sexuales de todas las personas deben ser respetados, protegidos y cumplidos". Se reconoce el derecho a la información sexual, al placer y el tratamiento en caso de problemas.

La conducta sexual es un fenómeno complejo, determinado por múltiples causas que varían en torno a dimensiones básicas por su propia naturaleza psicológica, biológica o social.

Finalmente, recordar que los problemas sexuales suelen ser causa o consecuencia de los problemas de pareja por lo que suelen también afectar a ambos miembros de la misma.

¿Qué es un problema sexual?

Existen múltiples criterios para definir lo que es un problema sexual (biológico, sociocultural, médico, estadístico, legal o puramente subjetivo). Psicológicamente se entiende que se presenta un problema sexual cuando se da alguno de estos supuestos:

- La pareja o uno de los miembros de ella se siente infeliz o insatisfecho por alguna de las diversas conductas sexuales en la intimidad propias o de su pareja.
- La conducta sexual produce sufrimiento, dolor o molestia a sí mismo o a la pareja.
- Se impone la conducta sexual a sujetos que no pueden dar su consentimiento para su realización (menores o personas con discapacidad).

Igualmente, clasificar los problemas sexuales es simplificar la complejidad de la conducta sexual humana y nos lleva a una pérdida de los datos de interacción en la pareja. No obstante, tiene una serie de ventajas como son las de permitir una terminología que pueda ser utilizada por profesionales para valoraciones y estudios científicos, ordenación de conocimientos disponibles, descripción operativa y observable de los problemas sexuales, hacer predicciones de los diferentes trastornos y valorar una posible intervención y tratamiento de los mismos.

Causas de los problemas sexuales

La cantidad de causas responsables o facilitadoras de la aparición de las disfunciones sexuales es amplia. Lo más frecuente es la multicausalidad. En todo problema sexual, aunque haya factores biológicos en la base del mismo, se suelen generar alteraciones de carácter psicológico, generalmente la ansiedad. Lo más habitual es la unión de factores orgánicos o físicos que la persona padece (diabetes, hipertensión arterial, dislipemia...), junto a la ingesta de sustancias (antihipertensivos, antidepresivos, alcohol, tabaco, drogas legales o ilegales...) y la aparición de la ansiedad ante el hecho de llevar a cabo una conducta sexual con su pareja después de haber tenido una disfunción.

Variables psicológicas

Los humanos basamos nuestro comportamiento en lograr atención y afecto, conseguir algo de alguien, evitar lo que nos molesta o hacer las cosas por el propio placer. Es decir, tendemos a aproximarnos a conductas placenteras y a evitar las que nos incomodan. Cuando una respuesta sexual no es agradable porque no hemos conseguido nuestro propósito, nos alteramos emocionalmente.

Entre los *factores interpersonales* el más frecuente suele ser el tener problemas con la pareja. Unas veces son causa y otras consecuencia de un problema sexual. Cuando una pareja no sabe resolver un problema sexual por una deficiente comunicación y hace responsable al otro, se genera un bucle del que es complejo salir. Recordemos que la responsabilidad de un problema sexual es mutua y este hecho suele generar insatisfacción en ambos miembros de la pareja. Si, además, se une el sexo como elemento de lucha por el poder o el control, como moneda de cambio para conseguir algo, como pago a un hecho que nos ha molestado del otro en lo que creemos justa respuesta a la hostilidad ajena, la situación se complica. En otras ocasiones un problema sexual está motivado por la falta de atracción física o por un desencanto emocional largamente vivido.

Como *factores personales* suelen darse la falta de información y educación sobre la sexualidad. Actualmente, la nuevas generaciones tienen un mayor conocimiento de la respuesta sexual y son capaces de explicar mejor lo que les ocurre y poner soluciones para remediarlo. No obstante, todavía existen mitos culturales que impiden una vida sexual satisfactoria y, además, el aprendizaje a través de la pornografía no ayuda a ello.

Quizá el factor más importante entre los factores personales es el miedo al fracaso. Miedo a cómo responder a una relación sexual cuando no se ha tenido ninguna, a no poder complacer a nuestra pareja, a que se produzca un embarazo no deseado, al contagio de alguna infección de transmisión sexual, al rechazo, a la pérdida de control, al dolor, a sentirnos observados en la intimidad... Este factor no solo se da durante la relación sexual sino que se presenta en otros momentos del día en forma de pensamientos recurrentes y la anticipación del fracaso en un intento posterior. Asociado al miedo está la ansiedad de ejecución unida a la respuesta sexual. Dicha ansiedad, al igual que el miedo, disminuye las respuestas placenteras y altera el organismo, dificultando las reacciones fisiológicas necesarias para la respuesta sexual.

En ocasiones se observa el rol del espectador que consiste en auto-observar la respuesta sexual para evaluarla. Al ser la excitación y el orgasmo un reflejo involuntario, su control impide la erección, la lubricación vaginal o la consecución orgásmica. Dichas ideaciones recurrentes dificultan el disfrute de la relación sexual y suelen generar problemas. Otro factor importante en la sociedad actual es el estrés (educativo, social, económico o laboral). Las consecuencias del mismo o el cansancio acumulado hacen que la respuesta sexual sea de peor calidad.

Cuando uno o ambos miembros de la pareja presentan problemas de carácter psicológico (depresión, psicosis, anorexia, ansiedad, trastornos de la identidad sexual, parafilias...) pueden presentar dificultades de carácter sexual asociados a dicha patología o por los efectos secundarios de la medicación para tratarla.

Variables biológicas

Son varias las patologías, enfermedades médicas y fármacos que interfieren en los procesos neurológicos, vasculares o endocrinos de la respuesta sexual humana.

La respuesta sexual puede verse afectada ante cualquier *problema vascular* que impida la vasocongestión de la zona genital y obstruya cualquiera de las arterias que la irrigan, pudiendo causar problemas en la fase de excitación (erección en el varón y problemas de lubricación y tumefacción vaginal en la mujer). Problemas como la arteriosclerosis, la hipertensión arterial, diabetes, enfermedad de Peyronie, dislipemia, obesidad…, así como el abuso del alcohol, tabaco u otras drogas también suelen tener consecuencias en la vascularización de dicha zona.

Existen *problemas neurológicos* cuando se producen lesiones medulares que pueden causar dificultades en la excitación, orgasmo o eyaculación en función del grado de afectación y del nivel de la médula espinal en el que se localiza la lesión. Igualmente, aparecen problemas de excitación y orgasmo en hombres o mujeres que sufren esclerosis múltiple debido a la desmielinización de las estructuras nerviosas. Los traumatismos craneoencefálicos suelen generar problemas en la respuesta sexual de diversa índole, así como lesiones del lóbulo temporal que tienden a generar problemas en el deseo sexual.

Además, los *problemas endocrinos* también pueden generar problemas en la respuesta sexual. Factores hormonales por déficit de testosterona (lógicos en el funcionamiento del deseo sexual), elevados niveles de prolactina, lesiones testiculares, hipófisis, tiroides o glándulas suprarrenales también suelen generar problemas sexuales.

Variables farmacológicas

Los principios activos de cualquier medicación que intervenga en los sistemas mencionados anteriormente pueden producir efectos secundarios en la respuesta sexual.

Se conoce de forma contrastada que la medicación neuroléptica o antipsicótica, en altas dosis, produce problemas en todas las fases de la respuesta sexual. Los antidepresivos se asocian con problemas en las fases de deseo y excitación. Los antihipertensivos interfieren en el deseo, excitación y orgasmo. La medicación ansiolítica influye en el deseo sexual y en el orgasmo cuando se ingiere en altas dosis.

No hay nada mejor que nuestro médico nos oriente, si tomamos algún fármaco, sobre los posibles efectos adversos ante la respuesta sexual para así poder modificarlo o cambiar la dosis, si es preciso y se puede. En general, cuando una medicación produce efectos secundarios sobre la respuesta sexual, estos suelen remitir al eliminarla o reducir su consumo. Nunca es razonable dejarla de tomar o automedicarse por los posibles efectos adversos que podrían causar a nuestra salud.

Variables socioeducativas

En nuestra cultura, la conducta sexual por excelencia, entre adultos, es el coito. Esta excesiva centración en este tipo de conducta (coitocentrismo) hace que muchas parejas no valoren otros aspectos del contacto físico y demostraciones de afecto que no incluyan dicha práctica.

Muchas represiones sociales, los modelos educativos culpabilizadores, la rigidez en los roles de género y el excesivo culto a la belleza han aumentado la posibilidad de que se amplíen los problemas de pareja en la relaciones sexuales.

Clasificación de los problemas sexuales

Lamentablemente no existe un único sistema clasificatorio. Tanto en la clasificación como en el estudio de prevalencia y epidemiológico de los problemas sexuales encontramos las dificultades lógicas de un objeto científico tan complejo como es la sexualidad humana. La clasificación demanda un modelo conceptual de la sexualidad y de la respuesta sexual más o menos consensuado por la comunidad científica, mientras que la prevalencia epidemiológica presenta grandes dificultades en la medición de unas variables que permanecen en constante cambio y que, en este caso, tienen carácter interdisciplinar.

Son muchas las propuestas aunque las más utilizadas han sido, a nivel internacional, las DSM-IV-TR y la CIE-10. Prestaremos atención a las principales entradas de las dos primeras y añadiremos la propuesta del DSM-5.

Cambios diagnósticos entre DSM-IV-TR y DSM-5

En 2013, se produjeron los siguientes cambios diagnósticos en el DSM-5 (ver Tabla 1.1) dentro de las disfunciones sexuales femeninas:

- Las categorías en el DSM-IV-TR de deseo sexual hipoactivo femenino y trastorno de la excitación sexual se combinaron en una nueva categoría denominada trastorno de interés/excitación sexual femenino.
- Los diagnósticos diferenciados de dispareunia y vaginismo se unieron en un único diagnóstico de trastorno de dolor génito-pélvico/penetración.

- Eliminación del trastorno de aversión sexual.
- Los criterios de frecuencia y severidad se incluyeron en los criterios diagnósticos.
- Los diagnósticos se hicieron específicos por sexos.

Tabla 1.1. Diferencias diagnósticas: H Hombre / M Mujer.

Fases	CIE-10	DSM-IV-TR	DSM-5
Trastornos del deseo sexual	Ausencia / pérdida deseo sexual (H/M) Rechazo, ausencia de placer sexual (H/M) Impulso sexual excesivo (H/M)	Deseo sexual hipoactivo (H/M) Trastorno por aversión al sexo (H/M)	Trastornos de deseo sexual hipoactivo (H) Otra disfunción sexual especificada (aversión sexual) (H/M) Trastornos del interés / excitación sexual (M)
Trastornos de la excitación sexual	Fracaso en la respuesta sexual (H/M)	Trastorno de excitación sexual (M) Trastorno de erección (H)	Disfunción eréctil (H)
Trastornos orgásmicos	Disfunción orgásmica (H/M) Eyaculación Precoz (H)	Trastorno orgásmico (H/M) Eyaculación Precoz (H)	Trastorno orgásmico femenino (M) Eyaculación prematura (precoz) (H) Eyaculación retardada (H)
Trastornos sexuales por dolor	Dispareunia sin causas orgánicas (H/M) Vaginismo sin causas orgánicas (M)	Dispareunia no orgánica (H/M) Vaginismo no orgánico	Trastorno por dolor génito-pélvico/ penetración (M)
Variaciones sexuales	Trastorno de identidad sexual (H/M) Parafilias (H/M)	Trastorno de identidad sexual (H/M) Parafilias (H/M)	Disforia de género (H/M) Trastornos parafílicos (H/M)
Desviaciones sexuales	Abuso sexual en adultos (H/M) Pedofilia y abuso sexual infantil (H/M)	Abuso sexual del adulto (H/M) Pedofilia y abuso sexual del niño (H/M)	Abuso y violencia sexual del adulto (H/M) Pedofilia y abuso sexual infantil (H/M)

Para el año 2022 está previsto el cambio de la CIE-10 a la CIE-11. En la propuesta del mismo, se dividen las disfunciones sexuales en varios grupos principales:

- Disfunciones por deseo sexual hipoactivo.
- Disfunciones de la excitación sexual.
- Disfunciones orgásmicas.
- Disfunciones eyaculatorias.
- Disfunción sexual asociada a prolapso de órganos pélvicos.

Para que sea considerada una disfunción sexual, tendría que cumplir los siguientes criterios:

- Haber sido persistente o recurrente durante al menos varios meses.
- Ocurrir frecuentemente, aunque su severidad puede ir fluctuando.
- Generar un malestar clínicamente significativo.

Como vemos, en vez de *trastorno* se utiliza la palabra *disfunción*, quizás menos estigmatizante en el ámbito de la salud mental.

En esta Tabla 1.2 se presentan las principales diferencias entre el DSM-5 y la propuesta del CIE-11:

Tabla 1.2. Comparación entre DSM-5 y el CIE-11 (previsto).

DSM-5	CIE-11
Trastorno del interés/excitación sexual femenino; trastorno de deseo sexual hipoactivo en el varón	Disfunción por deseo sexual hipoactivo
Trastorno del interés/excitación sexual femenino	Disfunciones de la excitación sexual femenina
Trastorno eréctil	Disfunción eréctil masculina
Trastorno orgásmico femenino	Anorgasmia
Eyaculación prematura (precoz)	Eyaculación precoz
Eyaculación retardada	Eyaculación retardada
Trastorno de dolor génito-pélvico/penetración	Disfunciones asociadas a prolapso de órganos pélvicos

Disfunciones sexuales

Las disfunciones sexuales son problemas que el sujeto padece en la consecución del placer en función de la fase en la que se produce o si están asociadas al dolor. Constituyen el ámbito de intervención más importante de la terapia sexual. Lo importante no es padecer una disfunción sino el saber resolverla en compañía, de forma conjunta, sin responsabilizar al otro o culpabilizarnos a nosotros mismos por padecerla.

Teniendo en cuenta las fases de la respuesta sexual, nos podemos encontrar dificultades en los ciclos de deseo, excitación, orgasmo y satisfacción. La evaluación iría encaminada en función de cómo ha sido su desarrollo, frecuencia y severidad de aspectos físicos o psicológicos analizados.

Ahora bien, la presencia de dificultades en cualquiera de estos campos no es suficiente para su inclusión como trastorno, es imprescindible la persistencia de la dificultad y, lo que es más importante, que provoque malestar o distrés personal significativo, lo cual sin duda afecta a la calidad de vida del sujeto. Incluimos la variable satisfacción ya que las dificultades sexuales pueden estar presentes en algún momento de la respuesta sexual.

Como comentamos, los problemas sexuales, como todos los problemas de salud, pueden ser multicausales y darse conjuntamente. El deseo sexual puede estar afectado con frecuencia por trastornos en la excitación y el orgasmo y viceversa. Un problema de uno de los miembros de la pareja podría generar también un problema sexual al otro miembro de la misma. La mayoría de los problemas sexuales, como hemos comentado, son causa o consecuencia de un problema de pareja. La comorbilidad y los factores relacionales han de ser tenidos en cuenta.

Clasificación de las variaciones sexuales

Actualmente existe una controversia sobre las variaciones sexuales cuando el sujeto no se identifica con su sexo biológico y le genera un gran malestar por inadecuación de su rol (disforia de género). Se intenta despatologizar este diagnóstico cuando a la persona no le generan alteraciones emocionales. Podría tener atracción sexual hacia hombres, mujeres, por ambos o por ninguno.

Por otro lado, las parafilias son fantasías, impulsos o comportamientos sexuales inusuales que podrían crean problemas en el propio sujeto, su entorno o la pareja. Podría darse solo como elemento de fantasía sin llegar a realizar la conducta imaginada (ver Tabla 1.3). No sería un problema sexual cuando la otra persona acepta la conducta inusual, siempre y cuando la otra persona sea un adulto o no presenta ninguna discapacidad.

Dentro de las parafilias tenemos los siguientes tipos que, aunque suelen ser poco frecuentes, también deben ser tenidos en cuenta en el desarrollo de la terapia sexual cuando ocurren durante más de seis meses:

Tabla 1.3. Tipos y definiciones de parafilias.

Tipos	Definición
Voyeurismo	Excitarse por observar ocultamente cuerpos desnudos o actos sexuales
Exhibicionismo	Excitarse por exponer los propios genitales a una persona desprevenida
Frotteurismo	Excitarse por el contacto y fricción con una persona sin su consentimiento
Masoquismo	Excitarse por ser humillado, golpeado, atado o sometido a cualquier forma de sufrimiento sexual
Sadismo	Excitarse por hacer sufrir física o psicológicamente a otra persona
Pedofilia	Excitarse por mantener actividades sexuales con niños prepúberes
Fetichismo	Excitarse con el uso de objetos animados (fetiches)
Travestismo	Excitarse por vestirse con ropas del sexo opuesto

Clasificación de las desviaciones sexuales

Se definen las desviaciones sexuales cuando dicha actividad sexual atenta contra la libertad de uno de los participantes. Entre sus actividades se encuentran las distintas formas de violencia y abuso sexuales tanto en menores como con adultos. Aquí se incluyen los actos de violencia como la violación y los abusos sexuales.

Evolución histórica de los problemas sexuales

La sexualidad ha sido un arma de control social en cualquier civilización existente desde los albores de la humanidad. Reich afirma, por ejemplo, que la represión sexual es un arma de control de las masas, creando individuos neuróticos e insatisfechos, fácilmente influenciables por dictadores y populistas de todo tipo. Hay gran diversidad en las vivencias de la sexualidad a través de culturas como la griega, romana, hindú, china... Esto daría para gran cantidad de manuales y libros, pero en este manual nos centraremos en nuestra sociedad occidental y post-industrial.

Iglesia católica y sociedad victoriana

La moral sexual imperante hasta hace poco unía de manera indisoluble la sexualidad con la procreación, afirmando que todo lo que se saliera de ese marco era una desviación que debía ser penada legalmente y, en muchas ocasiones, de manera despiadada. Obviamente, esta mentalidad está revestida de amplias capas de hipocresía, con innumerables casos de doble moral de rígidos legisladores, moralistas acudiendo a prostíbulos o teniendo prácticas completamente prohibidas para la época como era la homosexualidad.

Freud y otros pioneros en el estudio de la sexualidad

En el siglo XX hubo varios cambios radicales a la hora de abordar y tratar todo lo relacionado con la sexualidad. Primero, Sigmund Freud derribó el paradigma vigente de que el instinto sexual aparecía mágicamente al inicio de la pubertad, explicando que ya desde que nace el niño o la niña tiene zonas erógenas en donde se van desarrollando aspectos clave de la personalidad a partir de cómo va manejando los estímulos y las frustraciones asociadas en relación a ellas. A pesar de la rigidez de mucha parte de su teoría, Freud abrió el camino para ver la sexualidad como algo más global e inherente en la especie humana desde que nace.

En los primeros años del siglo XX, el sexólogo inglés Henry Havelock Ellis fue un pionero en el campo al publicar varios estudios de la sexualidad, en donde, entre otras muchas cosas, negaba que la homosexualidad fuera una enfermedad o un delito, afirmando que la sexualidad es un instinto totalmente natural. Unas pocas décadas más tarde, el médico estadounidense Alfred Kinsey llevó a cabo la primera encuesta a gran escala sobre conductas y actitudes sexuales en su país natal, criticando la hipocresía de las rígidas normas sociales de la época, altamente represiva y, como tristemente viene siendo rutina, negando casi la existencia de cualquier tipo de sexualidad en la mujer más allá de la procreación.

Comienzos de la terapia sexual

En los años 50 el monopolio casi total del psicoanálisis empezó a ceder ante el auge del conductismo, que a menudo utilizaba técnicas de castigo (como descargas eléctricas) para eliminar cualquier conducta que se considerara "desviada" para la época. Masters y Johnson, utilizando todos los avances en medicina y terapia de la época, publicaron en 1970 lo que se considera el primer sistema protocolizado de intervención de terapia sexual, aunque el sudafricano Joseph Wolpe ya describió muchos de sus métodos una década antes. Todos estos avances coincidieron en una época en que la revolución sexual y feminista empezaba a conseguir sus primeros avances. El uso de la píldora se generalizó, ayudando sobremanera a ir luchando contra la creencia de la indisolubilidad entre sexo y procreación. A partir de aquí, surgieron grandes figuras en la terapia sexual cuyos métodos y protocolos serán citados en este libro, como Helen Kaplan, otras de las consideradas pioneras en el campo.

Medicalización de la sexualidad

Con el auge de los psicofármacos para los tratamientos de la salud mental, la terapia sexual también se fue uniendo a esta ola. El sildenafilo –Viagra– fue descubierto por casualidad buscando un fármaco para enfermedades del corazón y se encontró que causaba el famoso efecto secundario.

Aunque se usen gran cantidad de recursos económicos y humanos para buscar, por ejemplo, todo tipo de claves fisiológicas, hormonales, contextuales… para ayudar a las personas a disfrutar de su sexualidad, muchos autores se quejan de una excesiva medicalización de todo lo relacionado con la sexualidad, dándole un envoltorio frío y deshumanizado. Muchos enfoques sobre la sexualidad son excesivamente genitalizadores y coitocentristas, obviando aspectos como la afectividad, el apego, las relaciones de pareja, factores de personalidad, estados de ánimo… Por ello, en este manual, queremos usar un enfoque científico con las últimas novedades en biología sexual, añadiendo también los factores mencionados anteriormente para dar un planteamiento lo más efectivo posible a todas aquellas personas que quieran consultarlo.

Dimensiones de los problemas sexuales

También cualquier clasificación atiende a varias dimensiones una vez que se ha asignado el problema sexual:

- Desde siempre o adquirido: si ha sido desde la madurez sexual o acontece después de algún tiempo sin tener problemas.
- Generalizado o situacional: si ocurre con todo tipo de estimulación, situaciones o parejas o es específico de alguna de ellas en concreto.
- Leve, moderado o grave: está en función del grado de severidad de síntomas o afectación de la respuesta sexual.

Es recomendable que cuando alguien sufre personalmente o ve sufrir a su pareja por un problema sexual busque una valoración, haga su propio análisis funcional de las causas que lo han provocado o lo mantienen y busque estrategias alternativas para solucionarlo. Si aún así no se es capaz de resolverlo satisfactoriamente, no dude en consultar a un especialista en terapia sexual que le pueda asesorar sobre cómo abordarlo eficazmente.

Lo bueno del sexo es disfrutar, comunicarnos con nuestra pareja a través del contacto físico o, si así se desea, tener hijos. Pero más allá de una problemática concreta, está la búsqueda de soluciones a nuestra comunicación y placer, que además, nos suele salir gratis. De hecho, no buscar una solución es tomar la decisión de mantener el problema.

Epidemiología de los problemas sexuales

La salud sexual es una variable imprescindible en la valoración de la salud general y por tanto en la calidad de vida. Es complejo valorar la incidencia de los problemas sexuales debido a las diferentes fuentes de error que generan los datos generalmente obtenidos por cuestionarios y el sesgo que suele darse en función de la edad, personalidad, calidad de la relación, etiología, comorbilidad y la presentación del trastorno. La variable más importante suele ser la presencia de malestar que viene determinada por las dificultades en las relaciones de pareja.

En 2009 se publicó la primera Encuesta Nacional de Salud Sexual realizada para recabar información sobre la salud sexual en la población española y así identificar las necesidades de información y atención sanitaria. En ella se indica que un 25% de ambos sexos tienen ciertas preocupaciones por su vida sexual y la mayoría desde hacía más de tres años. Para las mujeres la mayor fuente de preocupación era la pérdida de deseo sexual para la franja de edad entre 45 a 64 años. La mayoría de las mujeres (61,3%) y los hombres (68,7%) encuestados refieren no haber buscado ayuda para resolver su problema sexual (ver Gráfico 1.1 y Tabla 1.4).

Gráfico 1.1. Porcentaje de búsqueda de ayuda ante un problema sexual.

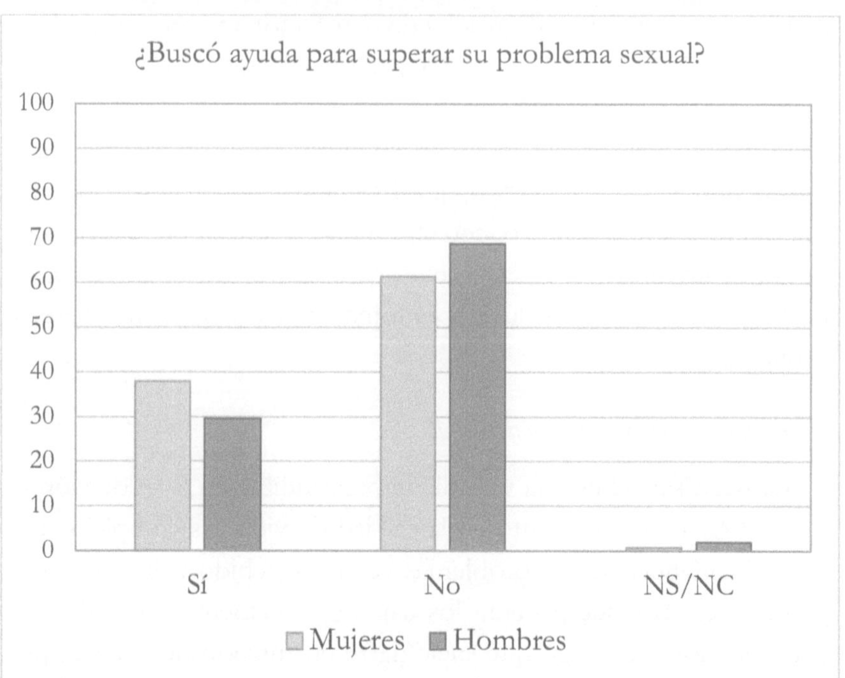

Tabla 1.4. Resultados de la Encuesta Nacional de Salud Sexual cuando se le pregunta, en el caso de tener un problema sexual, si la persona buscó ayuda.

	Sí	No	NS/NC
Mujeres	37,9%	61,3	0,7
Hombres	29,5	68,7	1,8

De entre las personas encuestadas que han buscado ayuda han utilizado recursos que muestran un patrón de elección muy similar por sexos: la mayoría (en torno al 60%) menciona haber recurrido a profesionales, seguido de amigos (el 25% de los chicos) y amigas (el 21% de las chicas), la pareja (11% de las mujeres y 7% de los hombres). Las chicas (26%) y chicos (23%) en la franja de edad de entre 16 a 24 años acuden a su madre.

Prevalencia de los problemas sexuales

En la actualidad continúa siendo un lugar común en la literatura científica y de divulgación el estudio sobre prevalencia de disfunciones sexuales. La mayoría de los estudios indican que más de un tercio de las personas presentan, en algún momento de su vida, alguna disfunción sexual. En España solo una quinta parte de la población refieren disfunciones sexuales en la consulta ambulatoria.

Dichos problemas sexuales, por los problemas de salud lógicos del desarrollo, son más frecuentes cuanto mayor es la edad de la población; el efecto de la respuesta genital es más importante en el varón. Además, los mejores predictores para disfunción sexual, además de la edad, serían el desajuste de pareja y los problemas mentales (depresión, ansiedad) asociados a consumo farmacológico.

En nuestro centro hemos observado que un gran número de parejas tienen, en algún momento de su vida, problemas en sus relaciones sexuales. Nuestro índice de prevalencia en consulta hasta el año 2020 es del 8,31% (590 del total de casos atendidos de 7.083), sin contabilizar aquellos pacientes que vienen inicialmente por otros problemas (depresión, ansiedad, fobias...) que harían aumentar esta cifra.

En la Tabla 1.5 se puede observar el porcentaje de personas que presentan este tipo de problemas en nuestro centro comparado con otros centros españoles (Cinteco, Arancibia y Matesanz). Como comentamos, actualmente muchas disfunciones están asociadas a un cambio en el estilo de interacción de la pareja, de los cambios en el modelo de interacción en la misma y un mayor nivel de exigencia de la mujer en disfrutar sus experiencias sexuales.

Como se puede observar, es importante destacar que los problemas de pareja influyen en los problemas sexuales que, como ya hemos señalado, suelen ser causa y consecuencia de dicho problema (19,8%). En la mujer los principales problemas se asocian a problemas de deseo, orgasmo y asociados al dolor. En el hombre estaría la disfunción eréctil, problemas en el control eyaculatorio (precoz y retardada) y los problemas de deseo.

Tabla 1.5. Comparación de porcentaje de pacientes que acuden a consulta.

	CINTECO N=88 (1991)	**MATESANZ / ARANCIBIA N=4.585 (1998) N=340 (2002)**	**CEPTECO N=590 (2020)**
Mujeres:			
Deseo sexual hipoactivo	2,27*	20,9	6,2
Disfunción orgásmica	18,18	56,8	7,7
Dispareunia y vaginismo	1,16	19,1	5,2
Aversión sexual	-	-	0,3
Otros	-	3,2	0,7
Hombres:			
Deseo sexual hipoactivo	2,27*	-	4,8
Disfunción eréctil	16	40,9	27,7
Problemas en el control eyaculatorio	11,27	48	19,3
Disfunción orgásmica	-	-	1,7
Otros	-	5,5	1,8
Problemas de pareja	32	2,3	19,8
Parafilias	2,27	-	3
Otros	-	3,3	1,8
TOTAL	100	100/100	100

* Indica el trastorno de falta de deseo sin diferenciación el sexo de los pacientes.

Resumen

Los problemas sexuales

La mitad de las parejas, durante su relación, presentan algún problema en su respuesta sexual.

Se habla de un problema sexual cuando:

- Uno o ambos miembros de la pareja se siente infeliz o insatisfecho.
- La conducta sexual produce sufrimiento, dolor o molestia a sí mismo o a la pareja.
- Se impone la conducta sexual a sujetos que no pueden dar su consentimiento para su realización.

Causas de los problemas sexuales:

- Psicológicas.
- Biológicas.
- Farmacológicas.
- Socioeducativas.

Clasificación

Disfunciones:

- Interés/excitación sexual femenino.
- Orgásmico femenino.
- De dolor génito-pélvico/penetración femenino.
- Deseo sexual hipoactivo en el varón.
- Eréctil.
- Eyaculación prematura (precoz).
- Eyaculación retardada.

Variaciones sexuales:

- Problemas de identidad sexual: disforia de género.
- Problemas del tipo de actividad sexual: parafilias.

Deviaciones sexuales:

- Abuso y violación.
- Pedofilia.

Prevalencia

Las disfunciones sexuales son más frecuentes a mayor edad, con el desajuste de la pareja y asociados a problemas mentales.

En nuestro centro los problemas sexuales suelen estar asociados como causa o consecuencia de los conflictos de pareja. En la mujer se asocian a problemas de deseo, orgasmo y asociados al dolor. En el hombre estaría la disfunción eréctil, problemas en el control eyaculatorio (precoz y retardada) y los problemas de deseo.

2. Fases de la respuesta sexual

La respuesta sexual humana sigue una serie de fases de carácter fisiológico y emocional que suelen ser predecibles en todas las personas. Principalmente suele desarrollarse mediante un modelo lineal con cuatro fases consecutivas: excitación, meseta, orgasmo y resolución. Posteriormente se añadió la fase del deseo al inicio de la misma.

Figura 2.1. Fases en la respuesta sexual: compendio de varios autores.

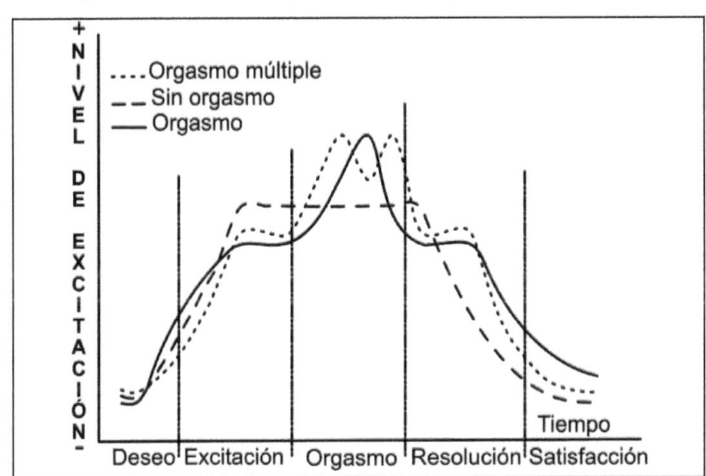

Al inicio de este siglo se desarrolló un doble modelo de la respuesta sexual: uno tradicional o lineal para los hombres y mujeres que están en una fase de enamoramiento y que llevan poco tiempo en pareja, y otro de tipo circular, que empieza por la intimidad o comunicación con el otro, pasando a la estimulación (valorando internamente la excitación que esta produce) para luego llegar a las cuatro fases clásicas presentadas anteriormente. Aquí se daría como "una vuelta a empezar" añadiendo la evaluación personal de la experiencia sexual realizada y del grado de intimidad vivido.

Estos dos modelos de fases consecutivas son, generalmente, los más trabajados en terapia sexual y en la manera en la que se presentan las disfunciones sexuales en el DSM-5, con lo que su validez sigue vigente. El psicólogo norteamericano Perelman (2009) presentó lo que él denominó "The Sexual Tipping Point", un modelo de la respuesta sexual humana muy novedoso por diferentes motivos. Utiliza el símil de un equilibrio en forma de balanza. En un lado tenemos "Excitación" y en el otro "Inhibición". En cada lado hay dos contenedores, con las etiquetas de "M" (mental) y "P" (físico). La variabilidad y la intensidad de los factores "M" o "P" hacen que la balanza se vaya inclinando hacia "encenderse" (aumentar la excitación) o "apagarse" (esta disminuye). Aunque a primera vista pueda parecer un modelo dual, Perelman (2018) deja claro que se trata más bien de un continuo, un "modelo de interruptor variable". Dentro de los contenedores, las variables se van incorporando con el símbolo "+" si aumentan el deseo o excitación sexual, "-" si lo disminuyen o "¿?", reconociendo que todavía hay áreas de la sexualidad que nos son ciertamente desconocidas.

Figura 2.2. Modelo de Perelman "Sexual Tipping Point Model®". Esta figura ha sido autorizada con el permiso de la MAP Education & Research Foundation (www.mapedfund.org).

THE SEXUAL TIPPING POINT® A BIOMEDICAL-PSYCHOSOCIAL & CULTURAL MODEL

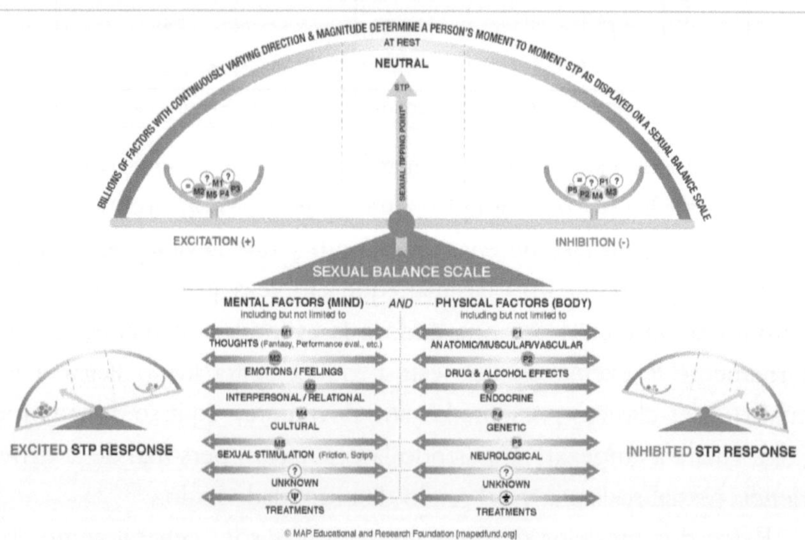

Deseo

Varios autores definen el deseo como un impulso producido por el sistema neural específico en el cerebro que se vivencia mediante sensaciones físicas específicas y llevarían al individuo a buscar experiencias sexuales, mientras que las fases de excitación y orgasmo afectarían específicamente a los órganos genitales.

Nosotros pensamos que la fase de deseo sería múltiple y subjetiva, de carácter físico-psicológico y que se concretaría por la conducta de acercamiento a la pareja amada (real o imaginada mediante el uso de la fantasía) del sujeto. Va unida a la fantasía y se la suele asociar con una cierta preprogramación con el fin de asegurar la procreación. Sería una respuesta cognitiva (pensamiento) y físico-psicológica. La educación, las actitudes y las propias experiencias afectivas van condicionando dichas respuestas. Al ser una respuesta mediatizada por nuestra propia experiencia es diferente en cada persona. Es dependiente de los estímulos y está en estrecha relación con los afectos.

No obstante, esta fase podría darse con anterioridad o posterioridad a las demás, hecho que suele ser habitual en las parejas donde llevan algún tiempo con la relación. De hecho, hemos observado cómo algunas mujeres con dilatada convivencia con su pareja indican que no les importaba que empezaran a estimularlas a pesar de que no sintieran un deseo inicial ya que este podría llegar más adelante y que no era síntoma de que la pareja no les atrajera.

Excitación

Durante la fase de excitación aumenta la tensión sexual. En esta fase aumenta en la mujer la lubricación y expansión de los dos tercios internos de la vagina, la vasocongestión de los labios mayores y menores junto a la erección del clítoris en la mujer. En el hombre se produce la erección del pene y el acercamiento testicular. Si se mantiene la excitación el glande y el tronco del pene aumentan de tamaño así como los testículos continúan su proceso de elevación.

Si la estimulación se mantiene, el tercio exterior y la entrada de la vagina de la mujer adquiere una mayor hinchazón, el clítoris se retrae hacia la sínfisis o unión de superficies óseas del pubis, aumentando la vasocongestión genital. El papel del clítoris y de los vulvos clitorianos es crucial en la excitación y orgasmo femenino; es el órgano receptor y emisor de las sensaciones sexuales con un papel decisivo en el orgasmo mediante la estimulación directa o indirecta del mismo.

La fase de excitación sexual suele ser observada mediante oleadas de respuesta sexual (mayor o menor lubricación y tumefacción en la mujer, y mayor o menor erección peneana en el hombre). Es frecuente que haya cambios en dicha respuesta, incluso hasta hacer menos abundante la lubricación o perder en parte la erección, sin que esto sea algo infrecuente o problemático.

Orgasmo

La fase de orgasmo sería, generalmente, posterior a la excitación, pero podría o no darse en la respuesta sexual. En el hombre es más frecuente que se obtenga debido a una respuesta más finalista. En la mujer podría no ser tan importante su consecución como sentirse íntimamente ligada a su pareja.

En la fase orgásmica, la vasocongestión y miotonía, desarrolladas hasta el momento, se liberan, produciéndose una serie de contracciones espasmódicas en la zona genital que luego se extienden por el resto del cuerpo. En la mujer, supone las contracciones musculares del tercio exterior de la vagina (plataforma orgásmica), del útero y de la zona anal.

En el varón, se distinguen dos procesos diferentes: el primero conlleva la contracción de los órganos genitales internos con lo que el semen se deposita en la parte posterior de la uretra (fase de emisión), y el segundo conlleva la contracción del pene y la uretra con el que el semen es expulsado al exterior a borbotones (fase de expulsión o eyaculación propiamente dicha).

Figura 2.3. Fisiología de la respuesta sexual femenina.

DESEO | **EXCITACIÓN**

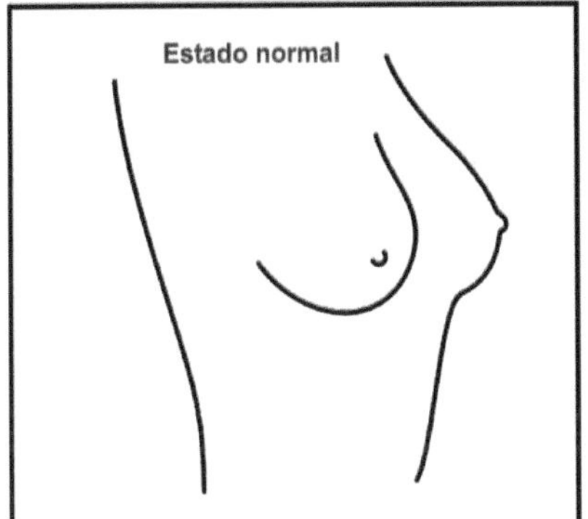

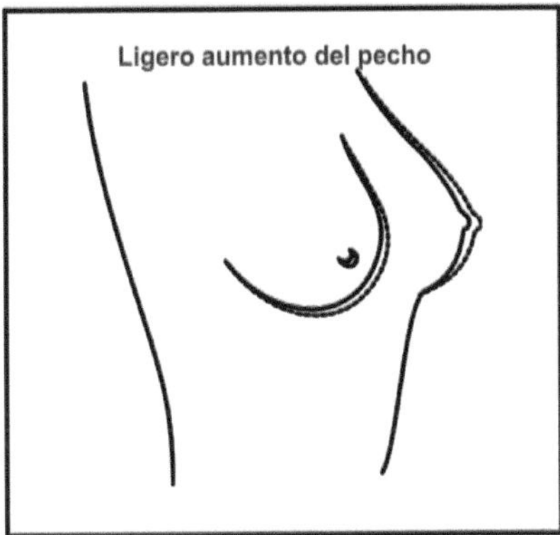

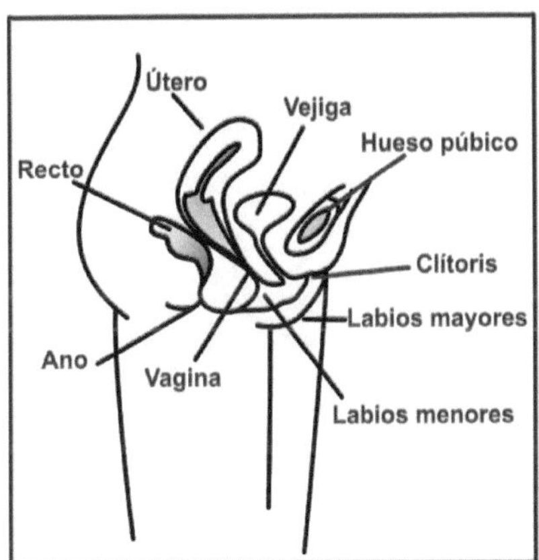

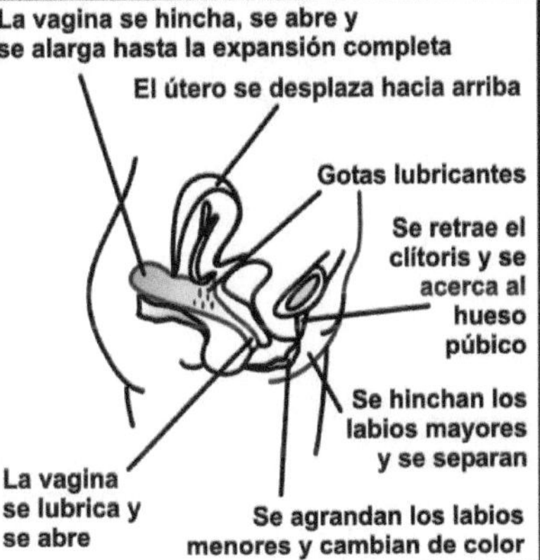

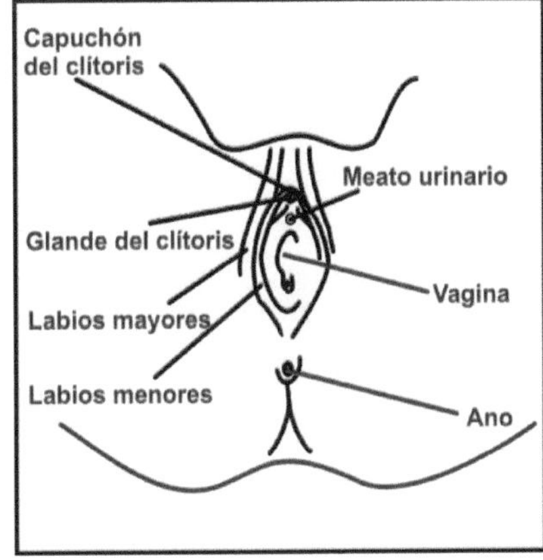

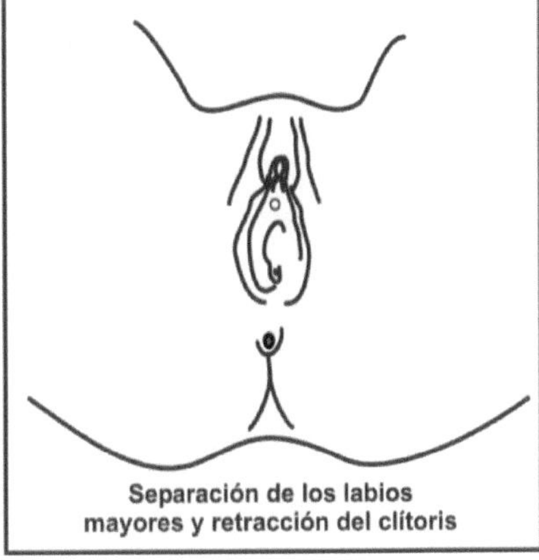

ORGASMO

RESOLUCIÓN

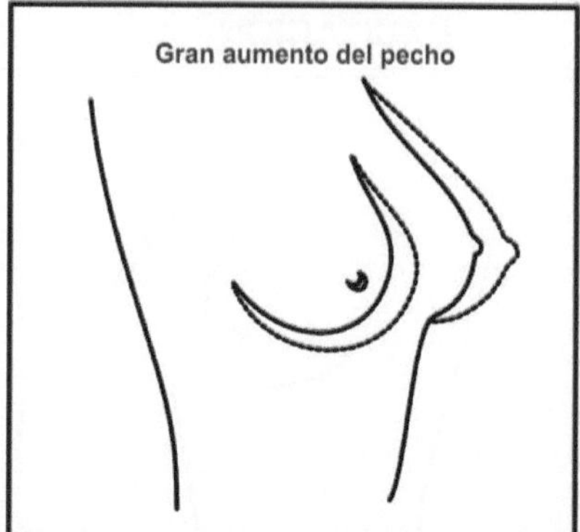

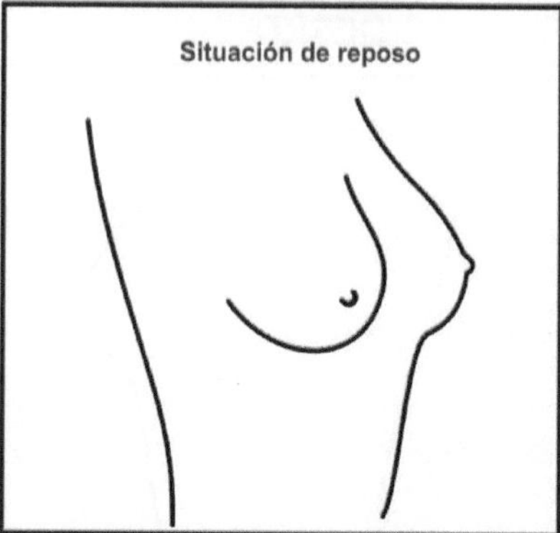

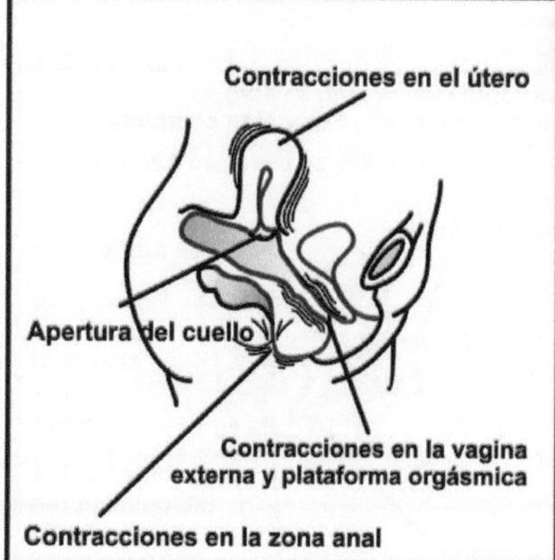

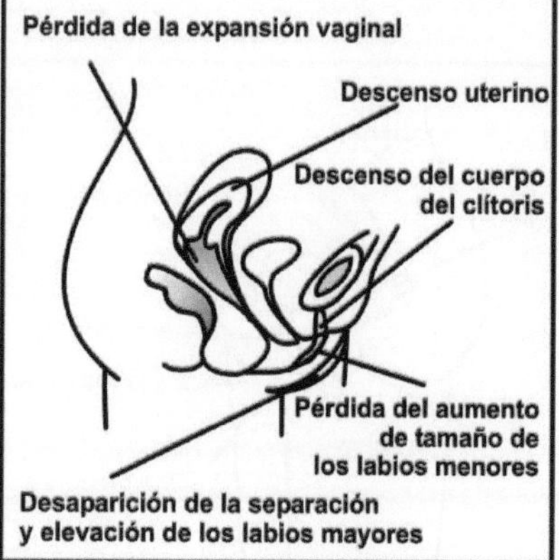

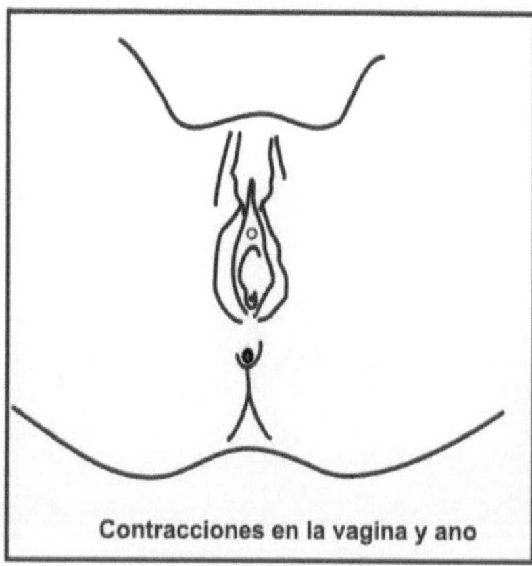

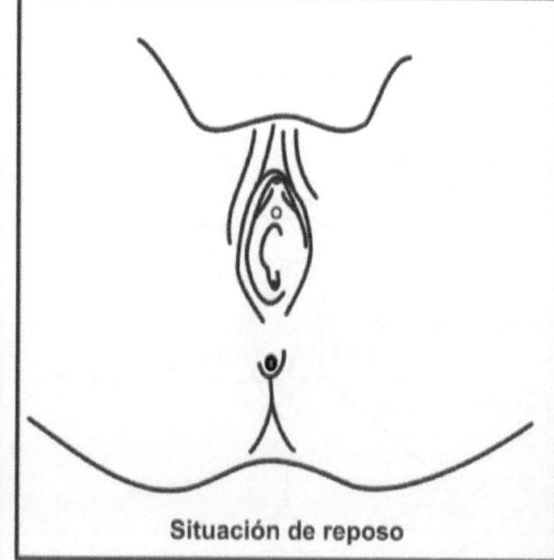

Resolución

Después de la descarga orgásmica, se entraría en un periodo de *resolución* o refractario en el que la vasocongestión y miotonía acumulada en diversos órganos y partes del cuerpo va perdiéndose de forma gradual, dejando a éstos en el estado inicial de reposo. En esta fase se da una relajación muscular que hace que los cambios generados por la excitación sexual vuelvan a su estado previo.

El periodo refractario o de recuperación de la mujer es menor que en el varón, con lo que es posible que la mujer, si sigue siendo estimulada, podría conseguir un nuevo orgasmo (capacidad multiorgásmica femenina).

Figura 2.4. Fisiología de la respuesta sexual femenina.

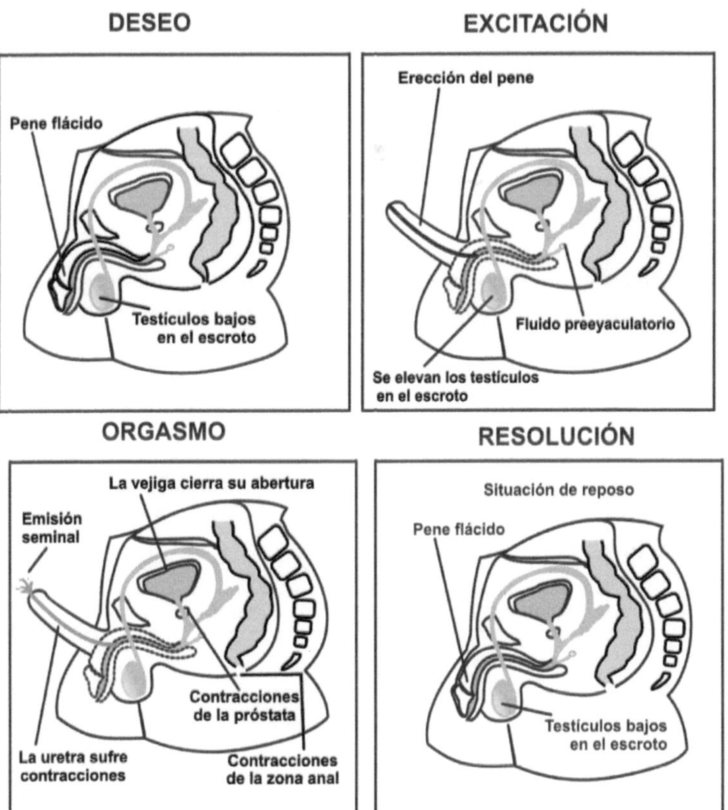

Satisfacción

Finalmente, las parejas suelen hacer una valoración de la respuesta sexual, hecho subjetivo que tiene que ver con la satisfacción o no de la experiencia sexual, para desear o no repetirla con la misma persona o en diferentes circunstancias, momentos, lugares.

La fase de satisfacción hace referencia a la valoración psicológica de carácter subjetivo donde se analiza de forma agradable/desagradable y, a su vez, en una cadencia de menor o mayor disfrute con respecto a experiencias anteriores. Esa valoración de la satisfacción subjetiva suele ser un buen predictor de la relación de pareja. Dicha valoración haría más o menos frecuente llevar a cabo la conducta sexual con dicha pareja en futuras ocasiones.

Una ampliación de la respuesta sexual psicofisiológica puede leerse en *Sexo en la pareja* (Cueto, 2006) donde se aporta este modelo:

Figura 2.5. Fases de la respuesta sexual.

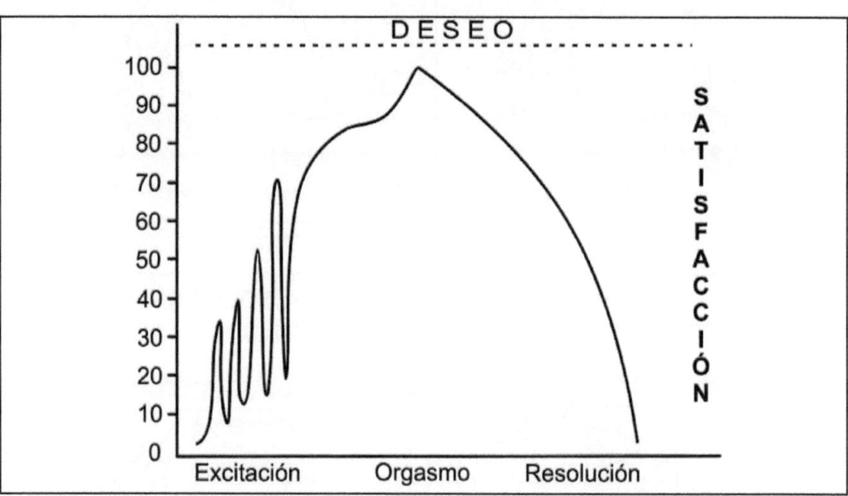

Resumen

Fases de la respuesta sexual humana
- Deseo: respuesta físico-psicológica. Apetencia o interés en mantener una relación sexual. Unida a la fantasía y asociada a asegurar la procreación. Puede incluirse con anterioridad a cualquiera de las fases anteriores para aumentar o disminuir la percepción o respuestas de las mismas. - Excitación: cambios fisiológicos acompañados de sensación subjetiva de placer sexual. En la mujer una vasocongestión generalizada de la pelvis, lubricación y expansión de la vagina y tumefacción de los genitales externos. En el hombre existe una tumescencia peneana y erección. - Orgasmo: eliminación de la tensión sexual y la contracción rítmica de la musculatura pubococcígea. En la mujer existen contracciones en órganos genitales. En el hombre se produce la emisión y la eyaculación. - Resolución: Respuesta física con relajación muscular. - Satisfacción: Bienestar general (psicológica y valorativa). Puede ser o no gratificante en el plano físico o psicológico.

3. Protocolo IDIES

El protocolo IDIES (Información, Diagnóstico, Indicaciones, Evaluación y Seguimiento) se basa en nuestra experiencia durante años de tratamiento de 600 pacientes, tanto presencial como online. En todo proceso de intervención se ha de recabar la máxima información mediante el estudio del Análisis Funcional de la conducta sexual. Al ser la respuesta sexual bastante predecible y conocer sus fases podemos desarrollar un protocolo de actuación ante los diferentes momentos de la misma.

Este modelo, por niveles, pretende valorar de forma práctica los problemas sexuales desde una perspectiva psicobiosocial y ofrece una sistematización sobre las estrategias eficaces para ayudar a las parejas en sus problemas sexuales.

Información

No hay nada mejor para superar cualquier problema que evaluarlo, auto-observarse para hacer un Análisis Funcional que le ayude a saber las variables que mantienen su problema.

Es importante recabar la máxima información posible para analizar el problema. En esta fase es necesario conocer cómo es su respuesta sexual tanto cuando se autoestimula como cuando mantiene una relación sexual con su pareja. Para ello le sugerimos, en primer lugar, rellenar y reflexionar sobre el *Autorregistro Funcional de la Autoestimulación* (femenino y masculino) y el *Autorregistro Funcional de la Respuesta Sexual* (femenino y masculino) que figuran en el segundo volumen de este libro titulado *Cómo superar un problema sexual. Protocolo IDIES: Técnicas Específicas.*

También es importante valorar la *Historia Sexual* (femenina y masculina), que también figuran en el segundo volumen, donde se analizan los estilos educativos y de apego, aprendizaje de experiencias sexuales, creencias, actitudes y conductas problema de carácter sexual que presenten con la pareja.

Una vez que hemos registrado la historia sexual y la conducta sexual tanto en solitario como con la pareja, sería razonable concretar en cuál de las fases presenta el problema (deseo, excitación, orgasmo, resolución o satisfacción). Se dará cuenta de las respuestas adecuadas y cuáles podría mejorar para disfrutar plenamente del sexo tanto si se autoestimula como cuando mantiene una relación con su pareja. Si tiene pareja sería muy útil poder hablar de los Autorregistros realizados por ambos cuando mantienen o intentan mantener relaciones sexuales.

Por otra parte, es conveniente analizar también la relación de pareja para valorar la influencia que tiene en el problema sexual mediante la *Escala de Ajuste de Pareja* ± (aspectos positivos y negativos), que figuran también en el segundo volumen de este libro, y valorar los principales aspectos que hacen saludable la relación y aquellos que la hacen problemática para mejorarlos. Después de rellenarlo puede sumar las puntuaciones de 1 a 5 que ha anotado en cada una de las variables y dividirlas por el número de ítems que cada una de ellas tenga. Poner en el gráfico la comparativa entre Ud. y su pareja le puede dar bastantes pistas, como a nosotros como terapeutas, para saber cómo se podría trabajar para mejorar su relación.

La valoración sobre la respuesta sexual permite determinar si el problema es un problema sexual o hace aconsejable otro tipo de intervención. Permite comprobar el tipo y naturaleza del problema sexual del sujeto o de la pareja y la posible presencia de algún problema orgánico que sea la base del mismo que haría necesario consultarlo con un especialista (endocrino, ginecólogo, urólogo…). Se descarta el posible grado de psicopatología relacionada con el problema sexual. El hecho de valorar la relación con la pareja permite analizar la relación interpersonal y posibles conflictos en la relación que sean la base del mismo.

Una vez haya valorado su problema y lo haya definido le sugerimos buscar en este capítulo el tipo de problema que podría presentar y observar el resumen de las diferentes técnicas que se sugieren para superarlo. Una vez que sepa cómo abordarlo y qué recursos y técnicas utilizar, podría ir al volumen dos de este libro donde se explican ampliamente las mismas con el fin de que las ponga en práctica.

En este apartado se valora, igualmente, el nivel de motivación y compromiso para participar en un programa de tratamiento por parte de uno o ambos miembros de la pareja. Finalmente, se estudian los estilos de vida desajustados que pudieran complicar el problema sexual.

Por último, piense que solo una buena valoración y Análisis Funcional de su problema es la mejor manera de escoger, con la práctica, la estrategia y técnica a desarrollar. Además, piense que solo con la práctica podrá aprender formas de superar su problema.

Diagnóstico

Con los datos antes mencionados podemos establecer el Análisis Funcional de la conducta. Permite hacer una hipótesis diagnóstica explicativa de lo que hace que se mantenga el problema sexual con la finalidad de llevar a cabo cambios y modificaciones que ayuden a resolverlo mediante una intervención terapéutica adecuada. Es importante reetiquetar el problema modificando la culpabilización en uno o en ambos miembros de la pareja dando una explicación plausible y razonada sobre él para que la pareja se implique en la posibles soluciones.

En el Análisis Funcional se valoran los antecedentes, el tipo de respuesta sexual que se realiza, una explicación plausible sobre el inicio y mantenimiento del problema y los intentos para resolverlo. Finalmente, se explican las expectativas y metas a conseguir y los pasos a llevar a cabo.

El Análisis Funcional de la conducta sexual permite un reetiquetado del problema, identificar las relaciones funcionales existentes y ayuda a la motivación para el cambio. Dicha valoración explicativa genera una alianza terapéutica, la pareja se implica y permite asegurar un buen nivel de motivación para el cambio, establecimiento de acuerdos y reducir la desmotivación.

Dicha valoración funcional permitirá una explicación razonable y adecuada de que el problema les afecta a ambos lo que hará que la pareja se implique en las posibles soluciones. Se dará especial importancia a los estilos de vida de la pareja que pudieran ser destructivos y que podrían condicionar la solución de los problemas sexuales.

Indicaciones

Gran parte de los problemas sexuales se pueden solucionar mediante una serie de indicaciones. Estas permiten cubrir lagunas educativas de las respuestas anatómico-fisiológicas de carácter sexual, explicar las fases de la misma y las diferentes disfunciones o problemas asociados. Pretende que la pareja tenga un nivel adecuado y suficiente de información sexual que les permita una mayor libertad, superar sus trabas y evitar el mantenimiento del problema.

Con las indicaciones se persigue reducir y eliminar la ansiedad ante la relación sexual y sugerir estrategias específicas para superar en pareja el problema que se presente, además de modificar actitudes negativas y mejorar la comunicación y la relación entre la pareja a nivel personal y sexual.

En ocasiones es bueno recabar información sobre anatomía, fisiología o conducta sexual, así como la frecuencia y amplitud de los diferentes tipos de conductas. Se anima a modificar ideas erróneas o mitos sexuales basados en una falta de información y educación sexual. Se alienta a modificar sentimientos de miedo o vergüenza de las relaciones sexuales superando actitudes negativas. Se anima a las parejas a aumentar sus fantasías e imaginación para mejorar su respuesta sexual. También, se analizan aquellos pensamientos automáticos de carácter negativo que aparecen antes, durante o después de la respuesta sexual con el fin de canalizar dicha respuesta interna de pensamientos hacia razonamientos adaptativos.

Las indicaciones permiten llegar a un acuerdo respecto a las áreas a modificar, establecer prioridades para el cambio y conseguir la aceptación de responsabilidad por parte de la persona y de la pareja que sufren el problema sexual. Es importante ayudar a mejorar la comunicación y relación entre la pareja ya que es muy estrecha la relación entre los problemas de interacción y los sexuales lo que, en ocasiones, supone un apoyo en ambas problemáticas para un mejor éxito terapéutico.

La principal causa de los problemas sexuales suele ser la ansiedad, tanto como factor causal o facilitador de los mismos. Es conveniente usar estrategias que disminuyan dicha repuesta tales como la relajación y desarrollo de actividades en imaginación y después en vivo para disminuir la misma.

Las indicaciones suelen tener un carácter creciente de dificultad con el objetivo de aprender o reaprender conductas sexuales que lleven a una mayor gratificación a la pareja. Suele ser habitual solicitar a ambos que utilicen una serie de recursos sexológicos o médicos que mejoren su interacción sexual. Se les suele recomendar textos o lecturas apropiadas (biblioterapia), como este libro, para superar las lagunas o déficits informativos sobre su problema. En nuestra consulta es habitual el uso de escenas de películas o vídeos educativos que ayudan a ejemplificar los recursos que se les pide que pongan en práctica en la intimidad.

Recursos psicológicos

Es habitual usar recursos psicológicos eficaces para ayudar a la pareja a resolver su problema sexual. Se pueden utilizar para mejorar la respuesta sexual en cada una de las fases de la misma. Los más frecuentes son el uso de la Desensibilización Sistemática, Técnicas de reestructuración cognitiva, de Autocontrol emocional, Habilidades de comunicación y seducción junto a la Terapia de pareja.

Tabla 3.1. Recursos Psicológicos en la Terapia Sexual.

Algunos recursos psicológicos en la Terapia Sexual
Terapia de pareja (Baucom y Lester,1986; Stuart, 1969; Patterson y Reid, 1970; Hurvit, 1970; Weiss et alt, 1978-80-84; Gottman, 1985; Baucom y Epsteim, 1990, Gottman y Silver, 1999).
Habilidades de comunicación, asertividad y seducción (Salter, 1949; Wolpe y Lazarus, 1966; Goldstein, 1981; Zigler y Phillips, 1960).
Técnicas de autocontrol emocional (Suinn y Richardson, 1971; Golfried, 1973; Meichembaum y Cameron, 1983).
Desensibilización Sistemática (Wolpe, 1958).
Técnicas de reestructuración cognitiva (Ellis, 1962; Beck, 1967; Mahoney, 1977; Golfried y Golfried, 1980; Seligman, 1981).
ETD y solución de problemas (Osborn, 1963; D'Zurilla y Goldfried, 1971; D'Zurilla y Nezu, 2007).
Entrenamiento en autoestima (Coopersmith,1967; Brinkman et alt, 1989; López y Schnitzler, 1983; Rosemberg y Collarte,1985; Wilber,1995; McKay y Fanning, 1999).
Prevención de recaídas (Marlatt y Gordon, 1980-1985).
Videos y escenas de películas (Cueto, 2006).

Recursos sexológicos

Es habitual recomendar lecturas y textos de información sexual para que la pareja pueda aumentar su nivel de comunicación en este ámbito y modificar actitudes negativas que interfieren en el problema. Se les anima, igualmente, a desarrollar orientaciones específicas en función del tipo de problema valorado en el Análisis Funcional. Es habitual orientar a la pareja para que lleve a cabo un aprendizaje o modificación de pautas de conducta. Para ello existen los siguientes recursos sexológicos que son ampliamente explicados en el segundo volumen de este libro titulado *Cómo superar un problema sexual. Protocolo IDIES: Técnicas Específicas*:

- Programa de Actividades Sexuales (Focalización Sensorial) realizado por Masters y Johnson (1970), Kaplan (1974) y revisión Hawton (1985). Este programa pretende disminuir la ansiedad de ejecución sexual, la desinformación, los problemas de comunicación de la pareja y evitar el papel de espectador ante las relaciones sexuales. Inicialmente, se usa la Focalización Sensorial (FS) dando y recibiendo de forma secuenciada una serie de masajes corporales para, por aproximaciones sucesivas sin contacto de zonas genitales y después con la inclusión de las mismas, desensibilizar la ansiedad. Cuando se está dando o recibiendo el masaje se anima a vivenciar el placer del tacto y los demás sentidos. Finalmente, se ayuda a la pareja a controlar la respuesta sexual en la que se tenía problemas y obteniendo el orgasmo hasta la consecución del mismo coitalmente, si se desea.

- Programa de Autoestimulación Dirigida (Heiman y LoPicolo, 1989). Consiste en establecer una serie de pasos para autoestimularse (masturbarse) que, de forma gradual, hagan que la mujer consiga conocer mejor su respuesta sexual, desensibilizar sus miedos y conseguir el orgasmo de forma placentera. El primer paso es el examen visual y manual del propio cuerpo evitando los senos y las zonas genitales usando, generalmente, un espejo, durante la observación. De forma progresiva se va estimulando sus senos y zonas genitales fantaseando y observando sus sensaciones intentado disminuir su ansiedad hasta conseguir el orgasmo. Finalmente, la mujer hace una demostración de la consecución del mismo a la pareja para que se involucre y pueda conseguirlo con su estimulación hasta la consecución coital, si se desea.
- Programa de Entrenamiento Muscular Vaginal (Kegel, 1952). Dichos ejercicios pretenden que la persona identifique y localice la musculatura pubococcígea con el fin de favorecer las sensaciones perivaginales que ayuden a controlar su respuesta sexual orgásmica. Suelen ser utilizada por la mujer pero una combinación de este entrenamiento, autoestimulación y compresión peneana es habitual llevarlo a

cabo por el hombre con el fin de mejorar su respuesta eréctil o eyaculatoria.

- Programa de Entrenamiento en Parada y Arranque (Semans, 1956) y de Compresión Peneana (Masters y Johnson, 1970). Estas dos técnicas son utilizadas por el hombre para usar un mejor control de su respuesta eréctil y eyaculatoria. Inicialmente, se localiza la musculatura pubococcígea y, posteriormente, se potencia dicho control con el apoyo de la pareja usando las técnicas de parar o de compresión para ayudar al hombre a superar su problema sexual.
- Uso de geles, bolas chinas, aparatos de vacío, vibradores y anillos constrictores… Es habitual el uso de geles durante el juego sexual que pretenden mejorar la lubricación. El uso de bolas chinas, masajeadores, estimuladores del clítoris con uso de vibración o emisión de ondas vibratorias ayudan a mejorar la respuesta orgásmica. Así mismo, los aparatos de vacío y anillos constrictores ayudan a una vasocongestión sanguínea para dar lugar y mantener la erección. Para ayudar al control eyaculatorio se usan las vaginas artificiales y los dilatadores vaginales para la superación de la contracción y permitir la penetración.

Tabla 3.2. Recursos Sexológicos en la Terapia Sexual.

Recursos Sexológicos en la Terapia Sexual
Programa de Actividades Sexuales o FS (Masters y Johnson, 1970; Kaplan, 1974; revisión Hawton, 1985).
Programa de Autoestimulación Dirigida (Heiman y LoPicolo, 1989).
Programa de Entrenamiento Muscular Vaginal (Kegel, 1952).
Programa de Entrenamiento en autoestimulación, parada y arranque (Semans, 1956) y de Compresión Peneana (Masters y Johnson, 1970).
Uso de geles, aparatos de vacío, bolas chinas, vibradores, anillos constrictores…

Puede verse una explicación de dichas estrategias en el libro *Sexo en la pareja* (2006) y en el segundo volumen de este libro.

Recursos médicos

En ocasiones, es aconsejable el apoyo medicamentoso. Las disfunciones sexuales aparecen como síntomas centinelas de patologías ocultas. Así, a modo de ejemplo, uno de cada tres pacientes de los que acuden a consulta por disfunción eréctil presentan una patología oculta, siendo las más frecuentes: dislipemias, diabetes mellitus, hipertensión arterial y problemas urológicos, teniendo en cuenta que algunos pacientes presentan más de una de ellas simultáneamente.

Igualmente, se ha demostrado que el tratamiento de las disfunciones sexuales facilita el seguimiento terapéutico y la adherencia al tratamiento farmacológico de otras patologías comunes. En consecuencia, el tratamiento de las disfunciones sexuales va a contribuir al mejor control, cumplimiento y salud.

Existen tres niveles de apoyo médico en algunos problemas sexuales:

- Primer nivel: medicación sustitutoria de déficit de testosterona, medicamentos orales vasoactivos, medicación antidepresiva y ansiolítica. Cuando existe un déficit de testosterona son recomendables los parches que van liberando de forma gradual dicha sustancia. Así mismo, se ha utilizado en el hombre medicación vasoactiva como inhibidor de la Fosfodiesterasa 5 (PDE5) para mejorar la respuesta eréctil y medicación antidepresiva para aumentar su tiempo de latencia de su respuesta eyaculatoria. En ocasiones, cuando la ansiedad es muy alta se usan fármacos ansiolíticos para ayudar a disminuirla.
- Segundo nivel: administración de drogas vasoactivas por vía cutánea, intracavernosa, intrauretral o gel. La administración de inyectables, geles de drogas intracavernosas son usadas en la evaluación y tratamiento de problemas erección.
- Tercer nivel: cirugía reparadora arterial o venosa e implantación de prótesis. El tratamiento reparador a base de la cirugía estaría encaminado a restaurar las fugas venosas o ar-

teriales o la implantación de prótesis. La consulta a un buen especialista es lo recomendable en el caso de la implantación de prótesis dada la complejidad de la operación y de los problemas secundarios que a nivel psicológico podrían derivarse.

Tabla 3.3. Recursos Médicos en la Terapia Sexual.

Nivel	Recursos Médicos en la Terapia Sexual
1	Medicación sustitutoria de déficit de testosterona Medicación oral vasoactiva Medicación antidepresiva Medicación ansiolítica
2	Administración de drogas vasoactivas por vía cutánea, intracavernosa, intrauretral o gel
3	Cirugía reparadora arterial o venosa Implantación de prótesis

Puede verse una explicación más amplia de dichas estrategias en el libro *Sexo en la pareja* (2006) donde se hace un resumen del uso de los fármacos para los distintos problemas sexuales y los efectos secundarios del uso de medicación en la respuesta sexual. Dichos tratamientos han de ser llevados a cabo bajo supervisión médica.

Evaluación

La evaluación permite observar el cambio logrado, las estrategias que la pareja ha realizado sobre las habilidades aprendidas, analizar nuevos objetivos y motivar para mantener las mejoras obtenidas. Cuando se realiza la evaluación no es infrecuente ayudar a la pareja a desculpabilizar o desculpabilizarse del problema sexual. Ayuda a superar prejuicios y actitudes negativas que se han aprendido y cambiar hacia una actitud positiva del sexo.

Permite, igualmente, analizar los efectos de las indicaciones y los problemas que hayan surgido en las mismas. De hecho, las relaciones sexuales han tenido un abundante campo de cultivo para mantener conductas negativas, ideas equivocadas y sometidas al control de las sociedades. Son enormes las creencias erróneas asociadas a actitudes sexuales negativas que suelen ser la base de muchos problemas sexuales.

Es conveniente valorar los resultados de las indicaciones recibidas mediante los *Autorregistros Funcionales de la Respuesta Sexual* (femenina y masculina) y los *Autorregistros Funcionales de Autoestimulación (*femenina y masculina) que se suelen emplear durante todo el programa y que, como ya comentamos, se han incluido en el segundo volumen de este libro. Dichos Autorregistros nos permiten ver la evolución del problema, mejorías, recidivas, aparición de nuevos problemas y adaptar el nivel de intervención a otros nuevos componentes que vayan surgiendo para evitar recaídas.

Seguimiento

Esta fase se centra en valorar todos los aspectos de la pareja que han ayudado a resolver el problema sexual y analizar los posibles cambios para mejorar aún más dicha respuesta. Se valora el mantenimiento de los éxitos conseguidos y los resultados de la intervención con el fin de prevenir recaídas y aprender nuevas formas de afrontamiento para abordarlas.

Resumen

IDIES

Este modelo pretende valorar de forma práctica los problemas sexuales desde una perspectiva psicobiosocial con sistematización de las estrategias eficaces para ayudar a las parejas en sus problemas sexuales. Las fases son:

I Identificación: analizar el tipo de respuesta sexual que se lleva a cabo con el fin de valorar las variables que mantienen el problema.

D Diagnóstico: identificar el tipo de problema que presenta a través del Análisis Funcional para diseñar una estrategia de intervención.

I Indicaciones: brindar información y sugerir cambios en la conducta sexual para mejorarla mediante:

- Recursos psicológicos: Terapia de pareja, Habilidades de comunicación y de seducción, Desensibilización Sistemática, Técnicas de reestructuración cognitiva, Autocontrol emocional…
- Recursos sexológicos: Programa de Actividades Sexuales (Focalización Sensorial), Programa de Entrenamiento en Parada y Arranque y Compresión Peneana, Programa de Autoestimulación Dirigida, Programa de Entrenamiento Muscular Vaginal, uso de geles, bolas chinas, aparatos de vacío, vibradores…
- Recursos médicos: medicación sustitutoria de déficit de testosterona, medicación vasoactiva, antidepresiva y ansiolítica. Cirugía reparadora o implantación de prótesis.

E Evaluación: observar las mejorar obtenidas con la práctica por las indicaciones dadas y valorar las posibles orientaciones para evitar recaídas.

S Seguimiento: apoyar en la evolución del problema, valorar los resultados y posibles cambios futuros a desarrollar.

4. Problemas del interés/excitación sexual femenina

Se genera este problema cuando existe un interés, excitación o placer ausente o reducido en la mayoría de las actividades sexuales, de las fantasías o pensamientos eróticos ante los intentos de iniciación de la pareja. Dichos síntomas provocan un malestar clínicamente significativo en la mujer y no son atribuibles a otros factores estresantes significativos, patologías médicas o graves problemas de la relación de pareja.

Definición

Se define este trastorno como una falta de interés o excitación sexual manifestada por, al menos, tres de estos síntomas (en la actividad sexual, en pensamientos eróticos o fantasías, en tener una relación sexual o estar poco receptiva ante cualquier iniciativa del compañero/a sexual), en respuesta a cualquier estímulo interno o externo de tipo sexual –leído, hablado, visto...–, o en sensaciones genitales o no genitales mientras se mantiene una relación sexual con la pareja –entre 75-100%–) con ausencia o interés disminuido en estas áreas.

Anteriormente, tanto el interés sexual como la excitación sexual se conceptualizaban como trastornos diferenciados, aunque con relación entre ellos. La idea principal ha sido unir los constructos psicológicos y físicos que diferenciaban el uno del otro en un mismo continuo como en este diagnóstico.

A nivel clínico, sigue habiendo cierta polémica sobre cuál sería el punto de corte del nivel de desinterés o apatía sexual que tiene que mostrar una mujer para que dicha falta de deseo sea considerada un problema sexual. Es decir, se tienen variables cualitativas, pero a nivel cuantitativo los criterios siguen siendo ciertamente confusos.

Evaluación

Como hemos comentado anteriormente, no existen todavía baterías específicas para este diagnóstico concreto, pero existen literatura científica y cuestionarios suficientes para evaluar el nivel de excitación y deseo sexual, así como actitudes y creencias. Podemos utilizar el *Autorregistro Funcional de la Respuesta Sexual Femenina* , *Entrevista del Funcionamiento Sexual* de Derogatis, *Escala de Ajuste Diádico* o la *Escala de Creencias en la Pareja.* Muchos otros instrumentos están en inglés pero al ser muchos de ellos escalas tipo Lickert sin subescalas por centiles podrían adaptarse a la población española con preguntas concretas.

Variables psicológicas

La existencia de un hecho traumático o la presencia de otra patología (ansiedad, fobia, problemas obsesivos o compulsivos, trastornos del estado del ánimo) suele estar asociada a una bajada del interés sexual. Ya Barlow (1986) explicaba que la ansiedad de ejecución es un gran distractor de la focalización ante la relación sexual. Mientras que en los hombres suele generar problemas en la erección, en mujeres suele abarcar muchos más factores como, por ejemplo, la satisfacción de la autoimagen corporal. También la duración de la relación de pareja suele ser predictor de una disminución del deseo sexual con el paso de los años.

Factores ya descritos en el conductismo, como el mecanismo de procesos de aprendizaje del condicionamiento clásico y operante por estímulos gratificantes y aversivos, generan un mecanismo asociativo que hay que tener muy en cuenta a la hora de realizar una intervención terapéutica, sobre todo si se utilizan herramientas clínicas como el Análisis Funcional.

Autoras como Bockaj, Rosen y Muise (2019), en estudios tanto en población general como clínica, han demostrado que aquellas personas que están más motivadas para satisfacer las necesidades sexuales de la pareja (lo que se denominaría *alta fuerza comunitaria sexual)* e inician relaciones sexuales por un objetivo positivo y no aversivo, muestran un mayor deseo sexual y mayor satisfacción en su relación. En cambio, cuando las parejas tienen relaciones sexuales para evitar discusiones, complacer... la satisfacción general en la relación disminuye de manera considerable. Concretamente, cuando las mujeres tienen relaciones por dichos objetivos evitativos, comentan que aumenta su atención a aspectos interpersonales negativos, como los sentimientos de frustración o decepción de su pareja ante las propias sensaciones de desconexión en mitad de la relación sexual.

Variables orgánicas

El diagnóstico diferencial de este trastorno sería descartar inicialmente un trastorno de tipo hormonal. Por ejemplo, una bajada de estradiol en la menopausia o la lactancia está relacionada con una menor irrigación sanguínea en la vagina, con una consiguiente disminución en la lubricación.

Los niveles de testosterona también han sido relacionados con un "deseo en solitario", aunque todavía no queda clara su interacción con una relación sexual (Van Anders, Brotto, Farrell y Yule, 2009). El estradiol aumenta cuando se está visualizando un estímulo erótico y el cortisol desciende cuando aumenta el deseo sexual (el eje hipotalámico-hipofisiario-adrenal, clave en la regulación del estrés, incide mucho en este proceso). Las interacciones hormonales son todavía muchas veces indescifrables para los expertos, por ello un estudio hormonal para ver cualquier desregulación es tan importante.

También el uso de medicación antidepresiva, como los ISRS pueden provocar una bajada de la libido y de la excitación sexual (Clayton y otros, 2014).

Prevalencia

Existe cierta polémica sobre qué tipo de perfil de mujer acude a solicitar ayuda profesional por bajo deseo sexual. Quizás haya un sesgo en los estudios de este nuevo trastorno categorizado en el sentido de que una mujer soltera o sin pareja estable no reciba quejas insistentes de su pareja sobre la disparidad de criterios a la hora de tener relaciones sexuales. Generalmente, recibimos en consulta a parejas estables con una clara demanda terapéutica del o de la cónyuge, quizás por ese criterio "objetivo" cuantificable de la falta de deseo. Con ello, parece que la apatía o el bajo deseo sexual es el trastorno sexual más diagnosticado en mujeres.

En los países anglosajones se suelen hacer estudios de prevalencia más exhaustivos. En Estados Unidos, por ejemplo, algunos autores han publicado datos en donde una de cada tres mujeres muestra una falta de interés en el sexo, y un 8% en el que éste alcanza niveles clínicos.

Meston y Stanton (2017) resaltan que al ser un diagnóstico de nuevo cuño, aún están por publicar estudios serios de prevalencia. Las autoras citan varias encuestas realizadas en Estados Unidos años atrás, que preguntan sobre actitudes o malestar de las mujeres ante las relaciones sexuales con datos que van desde un 22%, o entre un 8% y 31% de mujeres heterosexuales con problemas de lubricación. A nivel cultural e individual, cabe decir que aunque disponemos de gran cantidad de recursos o escalas (comentadas a continuación) para un diagnóstico concreto, el placer no deja de ser una percepción subjetiva que varía en demasía de una persona a otra.

En nuestro centro la prevalencia es de 6,2% total de los problemas sexuales atendidos tanto de mujeres como de hombres. Es importante valorar si las dificultades son debidas solo a una diferencia de criterios en la frecuencia de la respuesta sexual entre la pareja o a los pensamientos recurrentes por conductas molestas que su pareja lleva a cabo durante la interacción sexual. El problema aumenta cuanto mayor es la diferencia de frecuencia para mantener relaciones sexuales en la pareja. La presión ejercida por una parte suele provocar, a su vez, un rechazo por el agobio que supone en el otro miembro con estrategias de huida o evitación. Esto produce, por un lado, un control de la excitación para evitar no disfrutar después de la respuesta sexual y, por otro, una activación somática con posibles cefaleas o molestias varias que reforzarían negativamente la respuesta de acercamiento sexual. Este bucle derivaría, por generalización, en una evitación de la respuesta de acercamiento y en la evitación de cualquier fantasía o deseo sexual.

Tratamiento

Intervención psicológica

Suele ser habitual que dicho problema esté asociado a factores de ansiedad que produce un mecanismo de inhibición de la respuesta sexual que dificulta la activación fisiológica disminuyendo dicha excitación y aumentando el grado de exigencia y ansiedad en las mismas situaciones produciéndose un feedback negativo.

En ocasiones, la humedad en la zona vaginal decrece en respuesta a la excitación sexual y puede generar dificultades durante las relaciones sexuales. Dicha dificultad podría deberse a una valoración subjetiva aunque exista una suficiente lubricación, a la ausencia de la excitabilidad genital con una mínima lubricación o la combinación de ambos.

Dicho problema de excitación conduce a una falta de deseo y en ocasiones posteriores hacia una aversión sexual. Lo más habitual es un problema de excitabilidad combinado asociado a una falta de deseo. Si el motivo fuera la falta de estimulación habría que trabajar en aumentar dicha respuesta para poder disfrutar de una mejor respuesta sexual o apoyar mediante geles o cremas vaginales que hidraten dicha zona y el desarrollo de la actividad física que facilita la excitabilidad.

El primer paso para mejorar el deseo sexual sería lograr que la pareja deje de presionar, sin tomar la iniciativa pero sin abandonarla. Es bueno que desarrolle conductas afectivas y abrazos no sexuales frecuentes para mejorar el acercamiento afectivo y comunicacional. Igualmente sería recomendable, si la persona se sintiera ansiosa por su problema que utilizara técnicas de relajación y respiración, el uso de visualización y fantasías (películas, lecturas eróticas…), control por aproximaciones sucesivas de situaciones en imaginación y posteriormente en vivo con su pareja y ampliar relaciones sociales, modificar apariencia personal y pautas de conductas sexuales con la pareja.

En ocasiones, es aconsejable ayudar a llevar a cabo una evaluación racional de su problema y el desarrollo de un Programa de Actividades Sexuales en solitario donde discrimine las diferentes sensaciones y procesos fisiológicos mediante Autoestimulación Dirigida y uso de fantasía. Posteriormente, y una vez superada esta etapa, se llevaría a cabo un Programa de Actividades Sexuales en pareja con la discriminación de diferentes sensaciones y procesos fisiológicos con la estimulación manual o bucal de la pareja no genital y genital, posteriormente. Se llevaría a cabo finalmente con aproximaciones sucesivas cambios de situaciones, lugares y tipos de estimulación.

Puede ver el uso práctico de dichas técnicas en el segundo volumen de este libro titulado *Cómo superar un problema sexual. Protocolo IDIES: Técnicas Específicas.*

Intervención médica

A la hora de intentar revertir la falta de deseo en mujeres con este diagnóstico, existirían varios tratamientos farmacológicos disponibles. Muchos de estos compuestos se encuentran en fases experimentales y, aunque muestren en principio resultados esperanzadores, existe un consenso entre los especialistas en que son necesarios más estudios.

En principio, una mayor presencia de la hormona testosterona aumentaría niveles de andrógenos incrementando la respuesta del cerebro ante estímulos sexuales. En los diferentes estudios existen resultados contradictorios ya que, por ejemplo, casi todos ellos han sido con una población determinada (mujeres post-menopáusicas). También, se ha combinado la testosterona con otros componentes (sildenafilo y buspirona), todavía con resultados no del todo concluyentes.

La buspirona, un agonista parcial del receptor 5-HT1A (serotonina), se vio que mejoraba la función sexual especialmente en personas con un diagnóstico de deseo hipoactivo asociado a un trastorno del estado de ánimo. El bupripon aumenta niveles de dopamina y norepinefrina, acrecienta el deseo sexual pero no se obtuvo un aumento de la frecuencia de las relaciones.

Con bremelanotide, sustancia que incrementa la melanocortina, se observó un cierto aumento del deseo sexual percibido. La flibanserina ha sido el primer compuesto aprobado por la FDA (organismo regulatorio en Estados Unidos) para el tratamiento del deseo hipoactivo en mujeres. Modulando los circuitos serotoninérgicos y dopaminérgicos, se vio que aumentaba el deseo sexual y disminuía la ansiedad anticipatoria para tener relaciones. En otros estudios no hubo diferencia significativa con el grupo control, habiendo cierta polémica de por qué ha sido esta sustancia, en concreto, la aprobada para el tratamiento de este trastorno.

Resumen

Problemas del interés/excitación sexual femenina

Ausencia, reducción o placer de actividades sexuales.

Podría producirse por problemas emocionales asociados a traumas, estrés, duración de la relación de pareja, estímulos aversivos, asociados a problemas hormonales y/o medicación.

En nuestro centro la prevalencia es de 6,2% de las peticiones de ayuda del total de los problemas sexuales atendidos tanto de mujeres como de hombres.

Tratamiento:

- Desensibilización sistemática para controlar la ansiedad.
- Ampliar relaciones sociales, modificar apariencia personal y pautas de conductas sexuales con la pareja.
- Estrategias cognitivas.
- Programa de Actividades Sexuales en solitario y con la pareja.
- Posible uso de medicación basada en testosterona y otros compuestos farmacológicos con resultados dispares.

5. Problemas en el orgasmo femenino

Se presenta este problema cuando en casi todas o en todas las ocasiones existe un retraso, infrecuencia importante o ausencia del orgasmo o una reducción importante en la intensidad de las sensaciones orgásmicas. Se debe descartar un trastorno mental, problemas de pareja, factores estresantes significativos o debidos a efectos de una sustancia, medicación o una afectación médica.

Definición

Esta categoría diagnóstica, a diferencia de otras disfunciones sexuales femeninas, apenas ha sufrido cambios en la nueva edición del DSM-5. Aún así, se ha eliminado del DSM-IV-TR el criterio de dificultad del orgasmo a pesar de "una fase de excitación que funciona con normalidad". Ese criterio existía para eliminar el diagnóstico conjunto de este trastorno con el trastorno de excitación femenino. Otro sutil cambio ha sido la introducción del concepto de intensidad del orgasmo, añadido a los de frecuencia y latencia del mismo. Su equivalencia en el CIE-11 se denomina "Disfunciones orgásmicas", tanto para hombre como para mujer.

Para presentar este problema se tiene que experimentar, al menos, uno de estos dos síntomas (retraso marcado, infrecuencia marcada o ausencia de orgasmo y/o reducción marcada de la intensidad de las sensaciones orgásmicas). Estos criterios han debido persistir durante, al menos, seis meses, provocando un malestar significativo en la persona. Este problema sexual no se podría explicar por la existencia de un trastorno mental no sexual o como consecuencia de una alteración grave de la relación. Por último, habría que especificar si ha sido durante toda la vida o adquirido últimamente, si es generalizado o situacional y su gravedad (leve, moderado o grave).

En la literatura científica, parece que existe una división de la anorgasmia a la hora de realizar intervenciones terapéuticas. Tendríamos la denominada "anorgasmia primaria", que sería aquella de toda la vida. El otro tipo sería considerado una anorgasmia situacional o adquirida, especificada con un cónyuge en concreto, especialmente en las relaciones con penetración. Esta segunda es más prevalente, y a la hora de medir la eficacia del tratamiento, parece ser que hay una tendencia en valorar como "éxito" la frecuencia de orgasmos con el compañero o compañera.

En muchos contextos, la división hecha por el psicoanálisis entre orgasmo clitoriano y orgasmo vaginal sigue siendo de interés. Había cierta patologización si la mujer solamente conseguía el orgasmo clitoriano, y ya suele estar visto como una variación normal dentro del espectro de la sexualidad. Con ello, se han presentado diversas limitaciones a este modelo:

- Estas supuestas diferencias anatómicas están basadas en autorregistros que podrían tener poca validez científica.
- Se ignoran otro tipo de influencias biopsicosociales en la experiencia del orgasmo, quizás centrándose demasiado en el concepto del orgasmo como simple estimulación génito-pélvica.
- Estas tipologías podrían confundir una simple descripción con una explicación causal con demasiado énfasis en cómo se desencadena el orgasmo.
- Existe una clasificación en las variaciones del orgasmo, pero sin describir las características fenomenológicas principales y que tienen en común todas las experiencias abstractas del orgasmo.

El DSM-5 divide entre generalizado y situacional dependiendo del contexto en donde ocurra esta ausencia de orgasmo.

De una manera más subjetiva e introspectiva, parece ser que algunas mujeres relatan que los orgasmos obtenidos por medio de la autoestimulación manual en solitario pueden superar en placer físico a aquellos que ocurren en un coito. Esto podría contradecir a Masters y Johnson en que los orgasmos masturbatorios son iguales a aquellos conseguidos en una relación sexual.

Evaluación

Desde un modelo más biológico, el orgasmo puede ser entendible como una suma de reflejos complejos por distintos componentes del Sistema Nervioso Central que interaccionan entre sí. Por ello, se han estudiado diversos factores como el riego sanguíneo en la vagina, el eje hipotálamo-hipofisario-adrenal y factores hormonales.

Como hemos ido exponiendo a lo largo del libro, tanto la idea de placer como de orgasmo tendrían componentes subjetivos medidos por escalas autoadministradas. El *Autorregistro Funcional de la Autoestimulación Femenina* o el *Autorregistro Funcional de la Respuesta Sexual Femenina* daría información exhaustiva sobre la evolución de la excitación en las distintas fases de la respuesta sexual. También se podría compaginar con el *Sexual Desire Inventory*.

Variables psicológicas

En cuanto a factores de personalidad, en un estudio a más de 2.500 mujeres británicas (reclutadas de una base de datos de personas con hermanas gemelas), se vio que existía correlación entre menor cantidad de orgasmos y características de personalidad como introversión, inestabilidad emocional y falta de apertura a la experiencia. También, y eso se ha comprobado en multitud de otros estudios, se vio que haber sufrido abuso sexual en la infancia o no estar casada era predictor de menor frecuencia de orgasmos.

Variables orgánicas

En un estudio, se vio que la administración de testosterona con una repetición continuada a estímulos eróticos llevaba a un aumento de la excitación y la considerada "lujuria" incluso con un tiempo de espera largo. Pero en otro, se observó que lo que aumentaba era el estrógeno, y que la testosterona no afectaba a ese deseo sexual. Lo que sí se ha comprobado es la relación inversa entre el cortisol y la excitación ante estímulos eróticos. También, muchos estudios han demostrado que existe un componente genético y hereditario importante.

A la hora de evaluar las causas del trastorno, se deberían evaluar la posibilidad de factores situacionales como habilidades sexuales o actitudes de la pareja.

Durante los años 20 del pasado siglo, la psicoanalista Marie Bonaparte desarrolló una teoría fisiológica sobre por qué existe tanta variación entre los orgasmos de las mujeres. Teorizó que la distancia entre las glándulas clitorianas y la uretra predecía la probabilidad de tener el orgasmo durante la relación sexual. Específicamente, afirmó que si la distancia era menos de 2,5 cm. entre ambos, sería más probable tener orgasmos cuando ocurriera el coito. Ella misma relataba que era incapaz de alcanzar el orgasmo en las relaciones sexuales, y aunque a ella y a otro pequeño grupo de mujeres se les realizó una intervención quirúrgica en el clítoris para ajustar esa distancia, no parece que ninguna reportara mejorías. Aún así, en estudios recientes sí que parece haber una correlación directa entre ese espacio entre uretra y clítoris y orgasmo en la relación sexual. La relación entre ambas variables no está del todo clara, pero sí parece que ese espacio podría reflejar la exposición a andrógenos de manera prenatal, con mayores niveles de andrógeno provocando más alejamiento entre ambas estructuras anatómicas, con lo que también podría haber cierta relación entre orgasmos y niveles de andrógenos prenatales.

Prevalencia

En relaciones heterosexuales, está comprobado que es más probable que un hombre tenga un orgasmo que una mujer. Incluso en mujeres sin un diagnóstico de trastorno sexual marcado, la experiencia del orgasmo se considera ciertamente subjetiva y en muchas ocasiones difícil de cuantificar. Se calcula que aproximadamente un tercio de mujeres afirman que son incapaces de alcanzar el orgasmo durante la penetración vaginal.

Un aspecto de este trastorno que cada vez es estudiado de manera más exhaustiva es la temática de fingir los orgasmos. La mayoría de las mujeres con suficiente experiencia sexual declaran haber fingido orgasmos en el pasado, sobre todo en coitos vaginales. Las razones para ello son variadas, como la necesidad de autoafirmación en el placer, evitar hacer sentir mal a la pareja, evitar sentimientos de vergüenza, acabar la relación sexual cuanto antes para hacer otra cosa e incluso para intentar aumentar su propio deseo y excitación.

En nuestro centro la prevalencia es de 7,7% de las peticiones de ayuda del total de los problemas sexuales atendidos tanto de mujeres como de hombres. Sería importante evaluar las respuestas de ansiedad por miedo a perder el control, la auto-observación, la represión sexual y los sentimientos negativos de inseguridad con respecto al sexo o hacia una misma.

Tratamiento

Intervención psicológica

La intervención en este problema vendría dada por una modificación de actitudes sobre las posibilidades de disfrute del cuerpo, reflexionar sobre las bondades de la autoestimulación y el autoconocimiento y la ruptura de prejuicios sobre lo que está bien o no.

Se lleva a cabo mediante darse permiso para usar la estrategia de Auto-observación de zonas genitales, Autoestimulación Dirigida con uso de geles o estimuladores del clítoris y el Entrenamiento Muscular Vaginal y, si es preciso, el uso de Desensibilización Sistemática. Una vez conseguido el orgasmo mediante la autoestimulación sería recomendable que se ponga en práctica el Programa de Actividades Sexuales incluyendo a la pareja para llevar a cabo las fases de la Focalización Sensorial con el fin de lograr el orgasmo en presencia de su pareja, mediante su estimulación y finalmente durante el coito en diferentes posturas.

Puede ver el uso práctico de dichas técnicas en el segundo volumen de este libro titulado *Cómo superar un problema sexual. Protocolo IDIES: Técnicas Específicas.*

Figura 5.1. Auto-observación genital con la ayuda de un espejo grande.

Intervención médica

Médicamente, las bases orgánicas del orgasmo serían aún más difíciles de dilucidar que los propios del deseo y los medicamentos asociados serían muy similares. Se ha probado con inhibidores de la fosfodiesterasa tipo 5 que aumentan la irrigación sanguínea en el área de la vagina. Así como con hormonas (estrógenos y testosterona) donde se ha observado mejoría en el deseo percibido y en la satisfacción sexual. Con la tibolona, un regulador de la acción estrogénica, se ha logrado una mejoría tanto fisiológica (aumento de la lubricación) en el área genital como en el deseo percibido.

Por último, existe un aparato aprobado por la FDA para el tratamiento del deseo y la falta de orgasmo, que funcionaría aplicando un vacío al tejido vaginal, aumentando la irrigación de la zona, similar a la bomba de vacío peneana.

Resumen

Problema orgásmico femenino
Retraso, infrecuencia, reducción importante de las sensaciones orgásmicas o ausencia del mismo. Podría producirse por variables de personalidad, factores culturales, abusos sexuales, constitución física genital, problemas hormonales y/o medicación. En nuestro centro la prevalencia es de 7,7% de las peticiones de ayuda del total de los problemas sexuales atendidos tanto de mujeres como de hombres. Tratamiento: - Desensibilización Sistemática para controlar la ansiedad. - Programa de Actividades Sexuales en solitario y en pareja. - Posible uso de medicación basada en inhibidores de la fosfodiesterasa-5 y compuestos hormonales con algunos resultados.

6. Trastorno de dolor génito-pélvico/penetración femenino

Se genera este problema cuando existe dificultad persistente o recurrente para la penetración vaginal, un marcado temor, ansiedad o dolor vulvovaginal o pélvico durante las relaciones vaginales con tensión o contracción marcada de la musculatura del suelo pélvico antes o durante la penetración. Dichos síntomas provocan un malestar clínicamente significativo en la mujer durante, al menos, seis meses. No son atribuibles a otros factores estresantes significativos, problemas mentales, graves problemas de la relación de pareja, por efectos de una sustancia, medicamento u otra afección médica.

Esta categoría diagnóstica unifica lo que en el DSM-IV-TR se diferenciaba entre Dispareunia y Vaginismo. A pesar de este intento de aunar un diagnóstico global de dolor vaginal, sigue habiendo bastante uso de términos que se superponen y con algún significado algo inespecífico. Además, se solía considerar que el vaginismo era en ocasiones algo secundario a la dispareunia, con lo que ambas categorías diagnósticas tenían una frontera entre ambas ciertamente difusa.

Como acabamos de comentar, muchos profesionales de la salud mental consideran que es una categoría demasiado amplia que obvia, por ejemplo, las diferencias fisiológicas de las partes de la vagina. Es decir, es una etiqueta integradora pero que necesita el uso de subdiagnósticos para poder realizar una intervención eficaz y basada en la evidencia científica. Por ello, utilizaremos la categorización más común para realizar el tratamiento: dolor vulvar persistente y dispareunia.

Consenso en la terminología del dolor vulvar persistente

Dentro de lo denominado vulvodinia (dolor vulvar persistente que no tiene que estar asociado a la propia relación sexual), también existen ciertos conceptos que se pueden entrelazar. Por ello, en

2015, diversas asociaciones médicas centradas en el estudio del dolor pélvico y vaginal de la mujer publicaron un consenso de términos para ayudar a profesionales y pacientes, que actualiza otra guía publicada en 2003, cuando el DSM-IV-TR era todavía el manual diagnóstico de referencia.

A. Dolor vulvar causado por un trastorno específico:
   - Infeccioso.
   - Inflamatorio.
   - Neoplásico.
   - Neurológico.
   - Por trauma.
   - Iatrogénico.
   - Deficiencia hormonal.

B. Vulvodinia: Dolor vulvar existente durante al menos tres meses, sin una causa clara identificable, con la siguiente subdivisión:
   - Generalizada (afectada toda la vulva).
   - Provocada (sexual, no sexual o ambas).
   - No provocada (ausencia de estímulos dolorosos).
   - Mixta.
   - Localizada (vestibulodinia, clitorodonia, hemivilvonia).
   - Provocada (sexual no sexual o ambas).
   - No provocada (ausencia de estímulos dolorosos).
   - Mixta.

Todos estos elementos hacen que el dolor vulvar sea un diagnóstico multifactorial. En cuanto a su prevalencia, se calcula que entre el 10% y el 28% de mujeres en la población general lo sufren, aunque como ocurre con otros muchos trastornos, podría ser una categoría infradiagnosticada, ya sea por vergüenza o sistemas socio-sanitarios que no la contabilizan.

También se puede categorizar por el tipo de dolor que se produce:

- Alodinia: Respuesta dolorosa ante una estimulación que no tendría por qué serlo (por ejemplo un bastoncillo de algodón).
- Hiperalgesia: Respuesta dolorosa, esta vez ante un estímulo que si debería causar dolor en sí mismo, pero cuya respuesta es excesiva para el mismo.

En las causas, estudios afirman que se produce un interacción entre las siguientes situaciones:

- Un dolor sobre la superficie vestibular.
- Baja confianza y autoestima sexual.
- Mialgia de los músculos del suelo pélvico.

Definición

La característica esencial de este problema consiste en un dolor genital recurrente o persistente asociado a la relación sexual que provoca malestar acusado o dificultad en las relaciones de la pareja. Dicha molestia va desde un escozor, a un ardor, picor, quemazón o una simple molestia o desagrado.

También se podría considerar como un tipo de vestibulodinia provocada, pero en muchos manuales y artículos científicos se sigue utilizando este término a la hora de hacer intervenciones terapéuticas, así que hemos preferido mantener dispareunia como categoría diagnóstica diferenciada a la vulvodinia.

Evaluación

A la hora de medir el nivel de dolor, existiría por ejemplo la *Vaginal Penetration Cognition Questionnaire*, que consta de 40 ítems, o el *Female Sexual Fuction Inventory*, con 19 ítems, teniendo esta última una validad clínica más elevada que la primera en diversos estudios realizados. Recientemente se ha validado el *Vulvar Pain Assesment Questionnaire,* con 55 ítems y 6 subescalas o factores que permiten analizar los síntomas con más profundidad. También podría complementarse con el *Autorregistro Funcional de la Respuesta Sexual Femenina* y el *Auto-*

rregistro Funcional de la Autoestimulación Femenina. Para hacer una diferenciación clara de sus causas, se subdivide en dos tipos:

- Dolor superficial. En edad reproductiva: cándida, herpes, vaginismo, dermatitis vulvar, dificultades post-parto, quistes de la glándulas de Bartolino. Durante o después de la menopausia: atrofia vulvovaginal, dermatosis genital, vaginismo, dermatitis vulvar. Hay causas menos comunes: iatrogénicas, neurológicas, anormalidades en la anatomía de la vagina, neoplasias.
- Dolor más profundo: endometriosis, patologías pélvicas e inflamatorias, iatrogénicas, dolor pélvico crónico, problemas en la musculatura del suelo pélvico, congestión pélvica, origen no ginecológico (colon irritable, infecciones del tracto digestivo o urinario).

Basson presenta un modelo como un círculo vicioso que hace que el trastorno se consolide a través de una retroalimentación constante de los siguientes factores:

- Experiencia dolorosa, que llevaría al catastrofismo.
- Este catastrofismo genera una hipervigilancia somática.
- Emociones negativas como el miedo.
- Evitación que haya penetración.
- Hipertonicidad de los músculos del suelo pélvico.
- Problemas en la fase de excitación, como por ejemplo baja lubricación.

Estos factores se agravan por pensamientos catastróficos del cónyuge o sentimientos de frustración o directamente hostilidad.

Prevalencia

Según la OMS, la prevalencia de relaciones sexuales con dolor va desde un 8% a 21,6%. Otros estudios afirman que dos terceras partes de todas las mujeres del planeta tendrán este diagnóstico en algún momento de su vida.

Aunque mucha literatura científica y protocolos de intervención se centran en mujeres post-menopáusicas, parece ser que puede afectar a una de cada cinco mujeres jóvenes. De hecho, en un estudio se vio que las franjas de edad en donde este diagnóstico era más prevalente era entre 16-24 y a partir de los 50 años.

En nuestro centro la prevalencia es de 5,2% de las peticiones de ayuda del total de los problemas sexuales atendidos tanto de mujeres como de hombres. Lo más frecuente es que se suela disfrutar de la respuesta sexual, conseguir el orgasmo con autoestimulación o estimulación de la pareja pero por el dolor o la contracción del suelo pélvico impide o hace molesto el coito. En ocasiones viene asociada con factores traumáticos o problemas en el deseo sexual que hace que se evite la conducta coital por la molestia que esta generaría.

Tratamiento

Intervención psicológica

La estrategia más eficaz para ayudar a resolver este problema, que suele ser un proceso fóbico condicionado, es la Desensibilización Sistemática en imaginación y luego en vivo, de forma gradual mediante la auto-observación y autoestimulación con la introducción de los dedos o tampones. Seguidamente, se pasaría a la estimulación de su pareja con la introducción de los dedos dirigiendo ella la penetración vaginal para después permitir un menor control propio con la colaboración de su pareja.

Finalmente, se sugiere la Focalización Sensorial donde, estando ella encima de su pareja, vaya introduciendo el pene dejándolo dentro de forma gradual sin movimiento hasta ir perdiendo su control, para llegar a la posición donde no controle la penetración estando ella debajo. Se suelen combinar la Autoestimulación Dirigida y el Entrenamiento Muscular Vaginal para poder aprender a relajar dicha musculatura pubococcígea con el uso de dilatadores vaginales y geles lubricantes. En terapia sexual suele ser el tratamiento más gratificante por el altísimo índice de éxitos terapéuticos que aporta.

Puede ver el uso práctico de dichas técnicas en el segundo volumen de este libro titulado *Cómo superar un problema sexual. Protocolo IDIES: Técnicas Específicas*.

Intervención médica

En la mayoría de los estudios se resalta la importancia de un tratamiento con fisioterapeuta para mejor la musculatura del suelo pélvico o musculatura pubococcígea, mejorando la irrigación presente en esa zona. También se compagina con vibradores de diferentes tamaños que se podrían utilizar en una escala de tamaños ascendentes para mejorar la flexibilidad de la zona vaginal.

Como elemento de dolor crónico, también se han utilizado con cierto éxito tratamiento de *biofeedback* como electromiografías.

Por último, estaría la opción de una operación quirúrgica denominada vestibulectomía, en donde se extirparía la parte del tejido vaginal de vestíbulo vulvar en donde se genera el dolor. A pesar de su grado de invasividad, ha mostrado tener un cierto nivel de éxito.

Resumen

Problemas del dolor génito-pélvico/penetración
Dificultad persistente o recurrente para la penetración con tensión o contracción marcada de la musculatura del suelo pélvico con síntomas molestos. Podría producirse por un trastorno específico de carácter orgánico o infeccioso, de interacción con la pareja, problemas hormonales y/o medicación. En nuestro centro la prevalencia es de 5,2% de las peticiones de ayuda del total de los problemas sexuales atendidos tanto de mujeres como de hombres. Tratamiento: - Desensibilización Sistemática para controlar la ansiedad. - Programa de Actividades Sexuales en solitario y en pareja - Uso de geles, lubricante, dilatadores, vibradores... Posible uso de fisioterapia y operación quirúrgica.

7. Deseo sexual hipoactivo en el hombre

Definición

Esta categoría diagnóstica apenas ha tenido cambios en su definición y criterios diagnósticos en los diferentes manuales clínicos. En el DSM-5 se hace una diferenciación entre falta de deseo femenino y masculino. Se define el deseo sexual hipoactivo en el hombre como la reducción constante o recurrente de fantasías o pensamientos sexuales o eróticos y de deseos de la actividad sexual. Deben persistir durante, al menos, seis meses y provocan un malestar clínicamente significativo. Dicha disfunción sexual no se explica mejor por un trastorno mental no sexual o como consecuencia de una alteración grave de la relación u otros factores estresantes significativos, y no se puede atribuir a los efectos de una sustancia, medicamento u otra afección médica.

Por otra parte, habría que valorar si ha sido algo desde siempre o recientemente adquirido, si es generalizado o más situacional o concreto para valorar la gravedad de dicho problema.

Evaluación

En lo que parece haber cierto consenso es que el dcsco sexual tendría los siguientes componentes: impulso, motivación y expectativas.

A partir de aquí, ya podemos observar lo difuso que puede resultar este diagnóstico, discutido por diversos profesionales de la salud sexual. Existe consenso en que no hay una manera única y estandarizada de definir lo que sería el deseo sexual. La manera de expresar el deseo varía enormemente entre individuos, y tanto los test cognitivos como los marcadores fisiológicos son difícilmente protocolizables.

Uno de los modelos sobre las fases de la interacción sexual es el de Basson, que utiliza un modelo circular, pero en el que se puede acceder al deseo a partir de la excitación sexual. Pero al parecer, diversos autores afirman que dicho modelo ha sido utilizado para explicar el deseo sexual femenino, mientras que en el masculino parece ser que predominarían modelos de tipo más lineal. Otros autores también comentan que la evidencia científica parece que se ha centrado en las fases de meseta y de excitación más que el propio deseo.

Baumeister, Catanese y Vohs (2001) hicieron un meta-análisis donde se vio que los hombres muestran mayor deseo sexual, fantasías y ganas de tener relaciones sexuales. Los motivos de esto generan un fuerte debate. Unos autores afirman que esta diferencia es reflejo de la manera óptima de transmitir los genes a la futura descendencia, mientras que otros afirman que esta diferencia está determinada por la cultura, no por la biología.

Para seguir con el debate de la diferencia entre sexos, hubo un estudio en 29 países en el que se observó que aunque las diferencias de deseo sexual son las mismas en todos, la diferencia entre ambos sexos correlacionaba con la menor libertad social en las mujeres, mientras que en sociedades liberales occidentales la diferencia entre ese deseo percibido era menor, debido a los factores culturales.

A principios de siglo, Weeks y Gambescia propusieron un modelo etiológico con los siguientes factores:

- Individuales: biológicos y psicológicos.
- Interaccionales: ajuste diádico de la pareja.
- Intergeneracional: heredabilidad del deseo percibido que heredamos a partir de modelos de apego y modelado.

El *Autorregistro Funcional de la Respuesta Sexual Masculina* daría una información relevante sobre el por qué de la falta de deseo y qué factores pueden ser facilitadores para poder ayudar al varón a mejorar su nivel de deseo. Como escalas más clásicas, estarían el *Sexual Desire Inventory*, *Indes of Sexual Desire* de Hilbert, *Sexual Experience Scale*, el *Inventario de Satisfacción Sexual* de Golombock, *Sexual History Form* o la *Escala de Funcionamiento Sexual* de Derogatis. También podría complementarse con el *Autorregistro Funcional de la Autoestimulación Masculina.*

Variables psicológicas

Se ha incidido en muchos estudios en el aspecto bidireccional de la causalidad y la correlación entre los trastornos mentales y el bajo deseo sexual. Aunque hay evidencia de que, sobre todo, la depresión puede causar bajo deseo, también en la ansiedad y en el TOC (Trastorno Obsesivo-Compulsivo) se ha visto que esta disminuye.

Está comprobado que estar demasiado pendiente del aspecto físico y la autoimagen corporal interfiere con disfrutar de manera placentera del sexo, ya que este requiere "dejarse fluir". Existe gran comorbilidad de bajo deseo sexual con trastornos de alimentación, existencia de pensamientos rumiatorios, sobre el tamaño del pene, peso o altura que también provocan alteraciones en un deseo sexual fluido. Por último, aquellos hombres en relaciones de larga duración suelen desarrollar más fácilmente un deseo sexual hipoactivo.

Variables orgánicas

Aunque existen escasos estudios genéticos en este área, un estudio con universitarios, obtuvo una diferencia estadísticamente significativa en el gen el receptor dopaminérgico D4 (DRD4), que podría explicar diferencias individuales en los niveles de deseo sexual.

La edad ha sido uno de los factores más estudiados. La correlación entre niveles de testosterona y el deseo sexual está comprobada, aunque algunos investigadores hacen un matiz importante: no es la existencia concentrada de testosterona sino la biovariabilidad de la misma. Aún así, no parece que haya un consenso en cuanto al punto de corte en que se consideraría que hay poca o mucha testosterona, la variabilidad individual es demasiado alta en todos los estudios disponibles. Igualmente, cambios en niveles de hormona luteinizante y prolactina también producen cambios evidentes en el deseo sexual. El hipogonadismo o hiperprolactinemia afectan de manera negativa en el deseo sexual.

Muchos estudios han encontrado relación de enfermedades de todo tipo con una disminución del deseo sexual: anemia, enfermedades cardiovasculares, endocrinas, diabetes, problemas de tiroides, esclerosis, HIV, conmociones cerebrales... También se ha visto que enfermedades en principio menos críticas, como problemas del intestino o vejiga que hacen disminuir el deseo sexual y que son más comunes de lo previsto.

Donde se encuentra más evidencia científica sería en el uso medicamentoso donde los ISRS (inhibidores selectivos de la recaptación de serotonina), aunque también hay evidencia en el alcohol, metadona, medicación beta-bloqueantes, sobre todo aquella medicación con efectos hipotensivos.

Prevalencia

Quizás este sea uno de los trastornos en donde menor evidencia científica se encuentra y más polémica existe sobre su prevalencia. Suele fluctuar entre un 15 y 20%, con un estudio que afirmaba que el bajo deseo sexual como diagnóstico clínico era un 6% de los 18 a 24 años y un 41% entre los 66 y 74.

Otros investigadores comentan que solamente el 11% de los hombres estaría dispuesto a ir a un experto por este diagnóstico. En nuestro centro la prevalencia es de 4,8% de las peticiones de ayuda del total de los problemas sexuales atendidos tanto de mujeres como de hombres.

Tratamiento

Intervención psicológica

La intervención en este problema podría plantearse bajo la hipótesis de que recuperar la excitación y el placer facilitaría la aparición del deseo sexual. Para ello, habría que trabajar en aumentar, como en la mujer, el uso de fantasías, disminución de la respuestas de ansiedad, ampliar la relaciones sociales, modificar su estilo de vida y el desarrollo de estrategias que, por aproximaciones sucesivas, mejoren su respuesta sexual.

Puede ver el uso práctico de dichas técnicas en el segundo volumen de este libro titulado *Cómo superar un problema sexual. Protocolo IDIES: Técnicas Específicas.*

Intervención médica

La testosterona sería el tratamiento más utilizado (AndroGel). Aunque se observó mejoría en la disminución de la fatiga y aumento del deseo sexual, se observaron algunos efectos adversos en alrededor del 7% de la población. Y como suele ocurrir con todo tratamiento hormonal, muestran resultados contradictorios en otros estudios. También existen parches de testosterona. Además se pueden utilizar inyecciones de prostaglandina en el pene flácido, que a pesar de lo aparatoso, sí que parece funcionar en un buen número de hombres.

Resumen

Problemas del Deseo sexual hipoactivo masculino

Reducción constante o recurrente de fantasías o pensamientos sexuales o eróticos y de deseos de la actividad sexual.

Podría producirse por problemas emocionales, de personalidad, tiempo de relación en pareja, problemas con la autoimagen corporal, problemas genéticos, de salud, hormonales, endocrinos y/o medicación.

En nuestro centro la prevalencia es de 4,8% de las peticiones de ayuda del total de los problemas sexuales atendidos tanto de mujeres como de hombres.

Tratamiento:

- Desensibilización sistemática para controlar la ansiedad.
- Ampliar relaciones sociales, modificar apariencia personal y pautas de conductas sexuales con la pareja.
- Estrategias cognitivas.
- Programa de actividades sexuales en solitario y en pareja.

Posible uso de medicación hormonal e inyectables.

8. Problemas de erección

Definición

Podemos afirmar que la disfunción eréctil es el problema que más atención ha recibido tanto a nivel científico como en la cultura popular. Digamos que los símbolos fálicos han existido desde que existen pruebas arqueológicas de civilizaciones pasadas. El mito de la potencia sexual masculina es realmente prevalente en tradiciones religiosas y culturales de todo el planeta.

Existe disfunción eréctil cuando en casi todas o todas las ocasiones existe una marcada dificultad para conseguir la erección durante la actividad sexual, para mantener o finalizar la misma o una reducción marcada en la rigidez de la erección generando un malestar clínicamente significativo en el hombre que la padece. Se debe descartar un trastorno mental, problemas de pareja, factores estresantes significativos o efectos de una sustancia, medicación o afectación médica.

Es un diagnóstico multidimensional que implica problemas y alteraciones en todos los factores en el que subdivide la respuesta eréctil (relacionales, psicológicos y orgánicos). A nivel clínico, existe consenso en dividir en dos partes la fisiología de la erección masculina:

- La parte psicológica de la misma, basada en conceptos más abstractos y quizás con más problemas para tipificar, como son los estímulos eróticos o emocionales, que se codifican en los circuitos de recompensa y expectativa de la misma en partes corticales y subcorticales del cerebro.
- El reflejo fisiológico, que consistiría en la reacción inmediata al tocar la superficie del pene, y estaría bajo el control del sistema nervioso periférico y la parte inferior de la espina dorsal.

A nivel clínico, hay consenso internacional en valorar el Índice Internacional de Funcionamiento Eréctil como medidor del nivel de gravedad de este trastorno. Es una escala de cinco ítems que marca los rangos según estas puntuaciones:

- 1 a 7: severa.
- 8 a 11: moderada.
- 12 a 16: leve a moderada.
- 17 a 21: leve.
- 22 a 25: sin disfunción eréctil.

También podría complementarse con el *Autorregistro Funcional de la Respuesta Sexual Masculina* y el *Autorregistro Funcional de la Autoestimulación Masculina* que puede encontrar en el segundo volumen de este libro.

Evaluación

En los últimos años, la extensa bibliografía científica sobre este diagnóstico sugiere que alrededor del 80% de los casos tienen una base orgánica, idea que contrasta con la creencia general hasta hace no mucho de que la mayoría de las disfunciones eréctiles estaban solo "en la cabeza de la persona", sin que hubiera causa fisiológica alguna.

Orgánicamente, se puede evaluar el grado de erección del pene mediante una cavernosometría (exploración que mide el flujo necesario para provocar y mantener una erección).

Variables psicológicas

Existen también causas psicológicas. Como hemos comentado, aunque ya se considera mayoritaria la causalidad somática de la disfunción eréctil, hay multitud de casos en donde las variables psicológica influyen. La depresión y la ansiedad pueden incidir severamente en la erección y pensamientos rumiatorios e intrusivos son normales en estos casos. Por ejemplo, en el estrés la noradrenalina es un neurotransmisor que transmite el mensaje de alerta en el sistema nervioso, y este mismo neurotransmisor es el responsable principal de la respuesta de disminución de la erección.

La ansiedad de ejecución es una situación cuyo bucle obsesivo suele agravar la problemática. Obviamente, esta situación puede generar conflictos en la relación de pareja, que pueden necesitar de ayuda psicológica para ambos cónyuges.

Los factores psicológicos asociados como causa o consecuencia de los mismos tendrían que ver con la ansiedad de ejecución, miedo al fracaso y la auto-observación.

Variables orgánicas

El funcionamiento fisiológico del pene está regulado por una combinación de control adrenérgico a través de la noradrenalina y otro control de tipo miogénico y hormonal que manejan la contracción del tejido endotelial (prostaglandina y endotelinas).

Sobre todo, desde la aparición del sildenafilo como tratamiento, se ha abierto el abanico para abordar la disfunción eréctil, por su comprobada relación con problemas endoteliales y vasculares.

También se ha visto la relación estrecha entre la disfunción eréctil e infecciones del tracto urinario en hombres con hiperplasia benigna de próstata.

Existen causas no endocrinas de carácter neurogénico como problemas en la circulación nerviosa por lesiones en la médula, Parkinson, secuelas de operaciones en la pelvis... En un estudio de hombres con lesión medular, se vio que lesiones por encima de la espina dorsal T10 no producen cambios significativos en el control del pene más allá de inhibir en cierta manera el control del sistema nervioso central. Eso sí, lesiones sacras (que suelen desembocar en paraplejia) sí que alteran totalmente el reflejo de la erección por la inervación nerviosa nula o disminuida.

Los problemas vasculares también influyen en la respuesta eréctil. Como se ha comentado, la relación entre la hipertensión y la disfunción eréctil está bien documentada. El tabaquismo, en el que la nicotina afecta al riego sanguíneo, también es considerado como predictor de la enfermedad. Hay que matizar que el problema eréctil no se debe a una alta presión sanguínea *per se,* sino que sería más una respuesta secundaria por cambios producidos en las paredes arteriales, sobre todo la disminución en su elasticidad.

Además, en guías clínicas reputadas, en hombres de más de 55 años se valora la aparición de la disfunción eréctil como un predictor de un grave problema cardiovascular que se vería agravado por otros factores de riesgo como la diabetes, hipertensión, dislipemia o el tabaquismo.

Por otra parte, medicación para tratar la hipertensión, así como anti-andrógenos, opiáceos o diuréticos también contribuirían a producir problemas en la erección.

Igualmente, existen causas endocrinas. Aunque los andrógenos y la testosterona son los reguladores más importantes de la erección del pene, muchos autores afirman que el uso de testosterona como terapia tiene evidencia científica contradictoria. Es decir, que la correlación que por sentido común se hace de una mayor prevalencia de la disfunción eréctil por la edad y la disminución de los niveles de andrógenos no tiene por qué tener una relación causal directa.

En un estudio, se vio que en los andrógenos mejoran la respuesta sexual a fantasías más que estímulos visuales de connotaciones sexuales. Sobre otras hormonas, la investigación es escasa, pero la más relevante es la prolactina. Esta produce la inhibición de la gonadotropina que genera hipogonadismo.

Podríamos resumir que los cuatro jinetes del apocalipsis orgánicos de la función eréctil son la arteriosclerosis, la diabetes, la hiperlipidemia y la hipertensión arterial. Si les unimos el tabaquismo, el alcoholismo, el uso de fármacos y las alteraciones hormonales se agravaría el cuadro clínico.

Prevalencia

Se han hecho dos grandes estudios epidemiológicos en los últimos años, uno en Estados Unidos y otro en Europa. En el primero, se vio que había una prevalencia del 52% de media a moderada disfunción eréctil en adultos entre 40 y 70 años, y que ésta estaba íntimamente relacionada con factores como la edad, la salud y estado emocional. A nivel mundial, parece existir mayor prevalencia en Estados Unidos y en el este y sudeste asiático que en Europa y América del Sur.

Aparte de estos estudios epidemiológicos, hay una tendencia algo generalizada a estudiar qué ocurre en la disfunción eréctil en menores de 40 años. En un estudio se vio que solo uno de cada cuatro pacientes que solicita ayuda terapéutica era menor de esos 40 años. En otro, sí que se vio que jóvenes sin una base etiológica clara para su disfunción mostraban niveles subclínicos de disfunción endotelial, proteína C reactiva y niveles de colesterol y triglicéridos.

En Europa, la media de la prevalencia entre ese mismo segmento de edad era de un 30%, y de ellos, solamente la mitad han hablado de ello con su médico de cabecera.

Como se ve, la presencia de este diagnóstico es altamente egodistónica, en donde se ha visto que hasta casi un 70% de hombres niega su existencia, y con una media de búsqueda de tratamiento que puede superar los dos años.

En nuestro centro la prevalencia es de 27,7% de las peticiones de ayuda del total de los problemas sexuales atendidos tanto de mujeres como de hombres. La combinación de factores psicológicos y orgánicos suele ser la causa habitual de los problemas de erección. No obstante, siempre existe un componente psicológico con independencia de que exista o no una causa orgánica de base.

Tratamiento

La mejor intervención vendría dada por la combinación entre terapia médica y psicológica para mejorar la respuesta eréctil. Es habitual utilizar técnicas psicológicas para el control de la ansiedad, el desarrollo de Actividades Sexuales en solitario para mejorar la musculatura pubococcígea, el desarrollo de consecución y pérdida de la erección con las técnicas de Parada y Arranque o Compresión. El apoyo posterior de la pareja sería de vital importancia donde llevaría a cabo las mismas estrategias que el hombre ha desarrollado en solitario para conseguir la pérdida y recuperación de la respuesta eréctil. Finalmente, se buscaría llevar a cabo modificaciones en las posturas, ambientes, movimientos y tipos de estimulación hasta llegar a la penetración y al orgasmo con una rigidez suficiente.

Puede ver el uso práctico de dichas técnicas en el segundo volumen de este libro titulado *Cómo superar un problema sexual. Protocolo IDIES: Técnicas Específicas.*

Resumen

Problemas de erección

Marcada dificultad para conseguir la erección durante la actividad sexual, para mantener o finalizar la misma o una reducción marcada en la rigidez de la erección.

Podría producirse por problemas emocionales, de estrés, de salud, hormonales, endocrinos, vasculares, drogas y/o medicación.

En nuestro centro la prevalencia es de 27,7% de las peticiones de ayuda del total de los problemas sexuales atendidos tanto de mujeres como de hombres.

Tratamiento:

- Desensibilización Sistemática para controlar la ansiedad.
- Programa de Actividades Sexuales en solitario y en pareja.
- Posible uso de medicación oral vasoactiva.
- Uso de técnicas combinadas: Parada y Arranque y Compresión Peneana.
- Aproximaciones sucesivas y cambios de situaciones, lugares y tipos de estimulación.

9. Problemas de eyaculación precoz

Como hemos comentado con otros trastornos sexuales, hay cierta disparidad de criterios para definir la eyaculación precoz, y esto desde luego va en detrimento para realizar estudios empíricos y estandarizados.

Definición

Las primeras definiciones de la eyaculación consistían básicamente en explicarla como una incapacidad de producir un control voluntario en el reflejo eyaculatorio. A partir de ahí, fueron afinándose las definiciones, con autores como Hastings, Cooper o Masters y Johnson; estos últimos la definían como la incapacidad de tener control eyaculatorio y de satisfacer a la pareja femenina en más del 50% de las relaciones sexuales. Obviamente, esta definición es criticable en muchos aspectos (el término satisfacer es vago, el 50% parece una cifra arbitraria y omite a las parejas homosexuales).

La OMS la ha definido como la incapacidad de retrasar la eyaculación el tiempo suficiente para disfrutar una relación sexual, que se manifiesta, ya sea antes o muy pronto, durante la penetración o antes de que el pene esté lo suficientemente erecto para hacer la relación posible. La definición de la Sociedad Internacional de Medicina Sexual (ISSM) presenta otra definición muy similar, añadiendo las consecuencias personales negativas como el malestar, preocupación, frustración y/o evitación de intimidad sexual. Habría que especificar si el trastorno ha sido adquirido recientemente o de por vida, generalizada o situacional, y el nivel de gravedad, leve (entre 30 y 60 segundos), moderada (entre 15 y 30 segundos) y grave (eyaculación antes de la penetración o en los 15 segundos siguientes). Dicha asociación ha aprobado el concepto tiempo de latencia intravaginal eyaculatorio (IELT en sus siglas en inglés) como un criterio de medida y de gravedad. Se hacen dos subdivisiones a partir de este sistema:

- Objetiva: Menos de 15 segundos sería severa, más de 15 moderada y entre 1 y 2 minutos leve.
- Subjetiva o relacional: La pérdida del control eyaculatorio es percibida con gran ansiedad por el varón o ambos cónyuges.

Antes de esta baremación, Schapiro (1943) fue el primero en definir la disfunción eréctil como primaria o secundaria, y Cooper la dividió desde la adolescencia y asociadas a trastornos emocionales, disfunción eréctil y la relacionada con baja libido. En la literatura científica este término no apareció descrito hasta 1887. Las causas se consideraban siempre de tipo psicológico, descartando cualquier base biológica o física.

El DSM-5 establece que existe eyaculación precoz cuando existe en casi todas o en todas las ocasiones un patrón resistente o recurrente en que la eyaculación producida durante la actividad sexual en pareja y sucede aproximadamente en el minuto siguiente a la penetración vaginal y antes de que lo desee el individuo. Dicha respuesta debe haber estado presente, por lo menos, durante seis meses, y provoca un malestar clínicamente significativo en el individuo. No se explica por un trastorno mental no sexual o como consecuencia de una alteración grave de la relación u otros factores estresantes significativos, o debida a efectos de una sustancia, medicación o una afectación médica.

La eyaculación es un proceso fisiológico en dos periodos bajo el control del sistema nervioso autónomo y el somático, que se coordinan y que hacen que dicha eyaculación se produzca en dos fases:

- Emisión: El fluido seminal (mezcla de otros tres fluidos) se traslada de la próstata, vesícula seminal y conductos deferentes a la uretra posterior. Una vez que se llega ahí, la eyaculación ya es inevitable.
- Expulsión: El fluido va desde la uretra posterior hacia el meatus externo de la uretra. Esta fase es un reflejo de la espina dorsal, en donde usualmente el orgasmo ocurre a la vez.

Evaluación

Las dos herramientas más utilizadas para diagnosticar este trastorno serían el *Premature Ejaculation Diagnostic Tool* y el *Premature Ejaculation Profile*, en donde se recomienda incluso utilizar ambas para un análisis más exhaustivo. También podría utilizarse la *Structured Interview on Erectile Dysfunction* para ampliar aún más la información y el *Autorregistro Funcional de la Respuesta Sexual Masculina* y el *Autorregistro Funcional de la Autoestimulación Masculina.*

Evolutivamente, el tracto eyaculatorio masculino está diseñado por el término latino *coitus cistus*, que sería el comportamiento adaptativo en el mundo animal para eyacular lo más rápidamente posible. Con esto, diríamos que el control eyaculatorio podría ser algo cultural más que natural. Y como en el resto de disfunciones sexuales, la disfunción eréctil se consideraría más un síntoma que una enfermedad. La división más común sería entre factores psicológicos y biológicos:

Variables psicológicas

La ansiedad y la depresión son factores que parecen estar asociados. La ansiedad está considerada como la primera causa de una eyaculación demasiado rápida. Podríamos dividir esta respuesta ansiógena en tipo fóbico, un efecto contradictorio entre dos sentimientos encontrados (rabia, vergüenza) y una ansiedad anticipatoria de ejecución. En esta última, aunque parezca que no sea la causa en sí misma de la eyaculación prematura, sí que es un mantenedor de este problema. Por ejemplo, Kaplan probó que el aumento de la ansiedad activa el sistema nervioso simpático, responsable de la fase de emisión de la eyaculación. En la depresión, como en la ansiedad, muchas veces se produce una relación bidireccional.

Otros factores están asociados con la técnica sexual utilizada y las experiencias sexuales tempranas. Ya Masters y Johnson identificaron factores causantes en situaciones que se pueden dar en la juventud, como coitos rápidos para no ser descubiertos, experiencias tempranas con trabajadoras sexuales o baja educación sexual. A su vez la frecuencia de las relaciones sexuales, la línea basal en la excitación y comorbilidades con otros trastornos podrían estar en la base de dicho problema. La relación más documentada sería con la disfunción eréctil, en donde se darían los dos trastornos a la vez entre un 30 y 50% de los casos. Ambos diagnósticos conjuntos producen un círculo vicioso, en donde el hombre que intenta por todos los medios controlar la eyaculación pretende, a su vez, bajar sus niveles de excitación, que puede generar un bajo nivel de la erección.

Además, en un estudio se vio que hombres con disfunción eréctil necesitan de una mayor estimulación manual para alcanzar la erección, que podría acelerar el intento de penetración, generando una eyaculación temprana.

Variables orgánicas

Se han realizado estudios genéticos y neurobiológicos para analizar las posibles causas. Estudios con gemelos han probado que este trastorno tiene un componente hereditario de alrededor de un 30%. Se está investigando actualmente el efecto de los IRSS, que podrían inhibir la eyaculación prematura debido a una incremento sináptico de 5-HT (neurotransmisor de la serotonina). Con ello, hay que matizar que es una teoría bastante polémica en el mundo científico, en donde algunos autores afirman que la idea de que la base de la eyaculación precoz estaría basada en la hiperactividad del 5-HT es altamente improbable. Últimamente también se ha visto que niveles bajos de tirotropina (como marcador de hipertiroidismo) existen de una manera prevalente en pacientes con eyaculación precoz adquirida, pero no en aquellos que han sufrido el trastorno de por vida.

Otra variable podría deberse a la sensibilidad en el pene. Aunque los mecanismos autonómicos y periféricos de la erección están bien estudiados, poco se sabe sobre la intensidad del estímulo que recibe el cerebro y cómo se procesa en la corteza cerebral. Los estudios sobre el efecto que tiene la eyaculación precoz con la sensibilidad del pene muestran datos contradictorios.

Hay pruebas fehacientes de factores endocrinos influyen en dicha respuesta ya que niveles de hormonas sexuales (hormona luteinizante y testosterona) entre hombres sin y con eyaculación precoz. Los niveles serológicos de testosterona juegan un papel excitador en el reflejo eyaculatorio. También, se han visto bajos niveles de prolactina en pacientes con ansiedad muy elevada y culpa por la masturbación.

Se han estudiado factores urológicos donde se ha visto una correlación positiva entre la prostatitis crónica y la eyaculación precoz. Otras variables que podrían generar dicho problema irían desde los trastornos neurológicos, drogas y medicación, insuficiencia renal, bajos niveles de plasma seminal y niveles de magnesio hasta niveles altos de niveles de leptina y varicoceles.

Prevalencia

A nivel mundial, los rangos epidemiológicos de este trastorno irían del 20% al 75%. Pero como ocurre con la mayoría de trastornos mentales y sexuales, muchos estudios utilizan como medida autorregistros subjetivos y apenas validados psicométricamente, con lo que esas tasas de prevalencia serían poco fiables. Aún así, existe un acuerdo generalizado en que sería el trastorno sexual más prevalente en la población masculina.

En nuestro centro la prevalencia es de 19,3% de las peticiones de ayuda del total de los problemas sexuales atendidos tanto de mujeres como de hombres unida a la eyaculación retardada. La causa habitual en este problema vendría dada por la falta de control para posponer el orgasmo, debido a la dificultad para distinguir o discriminar diferentes sensaciones cuando se encuentra en niveles muy elevados de excitación, previos a la sensaciones premonitorias de la eyaculación. La insatisfacción de la pareja podría deteriorar la relación y disminuir la frecuencia de las relaciones sexuales lo que incrementaría la probabilidad del mantenimiento de dicha rapidez de respuesta.

Tratamiento

Intervención psicológica

La eyaculación precoz puede tratarse con uso combinado de medicación y terapia psicológica mediante el uso de la Desensibilización Sistemática, Programa de Actividades Sexuales y de Compresión o Parada y Arranque peneana (Figura 9.1). Se pretende enseñar al sujeto a controlar su reflejo eyaculatorio para que sepa discriminar la fase de emisión y eyaculación (expulsión), inicialmente solo y posteriormente con el apoyo de su pareja. Se procura conseguir que la respuesta sexual sea placentera, que se usen las caricias para discriminar de forma gradual y progresiva la propia respuesta orgásmica. Inicialmente se usa sin estimulación de la zona genital para incluirla posteriormente sin la necesidad eyaculatoria.

El uso de vaginas artificiales suele ser un buena estrategia de aprendizaje para simular la sensación con lubricación vaginal como entrenamiento o cuando no se tiene pareja.

Puede ver el uso práctico de dichas técnicas en el segundo volumen de este libro titulado *Cómo superar un problema sexual. Protocolo IDIES: Técnicas Específicas.*

Figura 9.1. Técnicas de Compresión Peneana realizadas por la pareja.

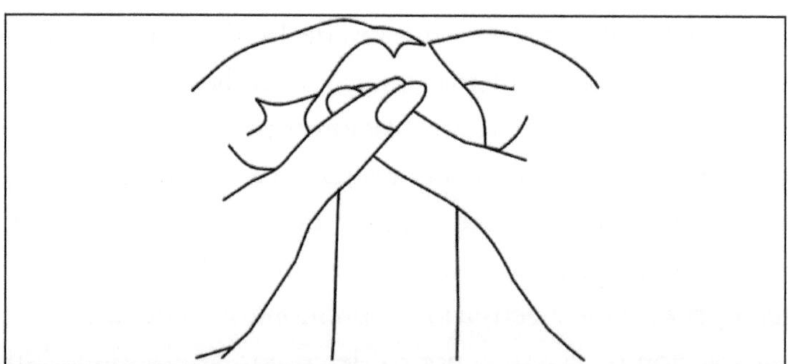

Intervención médica

Serían los tratamientos estandarizados para casi todo el resto de disfunciones sexuales masculinas, con los inhibidores de PD5 (sildenafilo, tadalafilo, vardenafilo, avanafilo), combinándose en ocasiones con medicación de tipo IRSS. De todos los inhibidores de la fosfodiesterasa, el vardenafilo es el que parece tener más respaldo empírico hasta el momento, tanto en pacientes sin y con disfunción eréctil diagnosticada.

Existe un medicamento específico para este trastorno aprobado por la FDA que sería la dapoxetina, que comparte origen farmacológico con otros IRSS, que parece tener relativo éxito en el tratamiento. Aunque de manera más marginal, se utilizan también espráis con efecto analgésico.

Resumen

Problemas de eyaculación precoz

Incapacidad de producir un control voluntario en el reflejo eyaculatorio.

Podría producirse por problemas emocionales, de aprendizaje, asociados a la disfunción eréctil, de sensibilidad, genéticos, hormonales, endocrinos, drogas y/o medicación.

En nuestro centro la prevalencia es de 19,3% de las peticiones de ayuda del total de los problemas sexuales atendidos tanto de mujeres como de hombres, unida a la eyaculación retardada.

Tratamiento:

- Desensibilización Sistemática para controlar la ansiedad.
- Programa de Actividades Sexuales en solitario y en pareja
- Entrenamiento de la musculatura pubococcígea mediante la contracción del esfínter anal para retrasar el reflejo eyaculatorio.
- Posible uso de medicación oral antidepresiva de rápida absorción.
- Uso vagina artificial.
- Uso de técnicas combinadas para retrasar la eyaculación: Parada y Arranque y Compresión Peneana.

10. Problemas de eyaculación retardada

Definición

La definición más rápida de la eyaculación retardada sería el retraso o incapaz de conseguir la eyaculación. Se debe experimentar un retardo marcado en la eyaculación, o infrecuencia marcada o ausencia de eyaculación en casi todas o todas las ocasiones de la actividad sexual en pareja, y sin que el individuo desee el retardo. Dichos síntomas han persistido durante unos seis meses como mínimo y provocan un malestar clínicamente significativo en el individuo. Dicha disfunción sexual no se explica mejor por un trastorno no sexual o como consecuencia de una alteración grave de la relación de pareja u otros factores estresantes significativos y no se puede atribuir a los efectos de una sustancia/medicamento o a otra afección médica. Se especificaría si es adquirido o desde siempre, generalizado o situacional y el nivel de gravedad (leve, moderado o grave).

Este problema puede ir acompañado por anaeyaculación y anorgasmia, con gran variabilidad entre distintos hombres.

La Sociedad Internacional de Medicina Sexual puso como consenso el punto de corte entre 20 y 25 minutos, utilizando como criterio el tiempo de latencia de penetración intravaginal. Este criterio se tomó como punto de corte de más de dos desviaciones típicas sobre la media de eyaculación intravaginal en estudios poblacionales. Esta misma sociedad definió dos tipos:

- Primaria: sufrida a lo largo de la historia vital, con incapacidad de eyacular en todas o casi todos las relaciones sexuales.
- Secundaria: retardo eyaculatorio que genera ansiedad y que ocurre al menos en un 50% de las relaciones sexuales.

Por otro lado, Perelman definió este trastorno con los siguientes criterios:

- Incapacidad de poder eyacular de manera voluntaria en menos de 10 minutos en todas o casi todas las relaciones coitales.
- Incapacidad de eyacular a pesar de quererlo.
- Sufrir consecuencias personales negativas (frustración, ansiedad) y/o evitar relaciones sexuales debido a ello.

Aunque existen diversas guías clínicas que nombran este diagnóstico, no existe un criterio verdaderamente estandarizado para diagnosticarla, y los diagnósticos clínicos suelen centrarse principalmente en la historia clínica del paciente.

Aunque vemos que casi todos los diagnósticos se centran exclusivamente en la respuesta sexual del hombre, habría también que valorar la variabilidad de respuesta orgásmica entre las mujeres, ya que es muy elevada, yendo desde sentimientos de placer hasta dolor, vergüenza o sospechas de infidelidad del cónyuge.

Algunos autores presentaron la "teoría de la distribución eyaculatoria", en la que en cualquier muestra de hombres siempre habría un grupo con una eyaculación retardada por una simple regresión a la media de la muestra, afirmando que este trastorno no tendría una base empírica clara.

Evaluación

Como en el resto de trastornos masculinos, una exploración médica es aconsejable para descartar cualquier origen orgánico del problema. A un nivel más global, se podría utilizar el *Male Sexual Health Questionnaire* para evaluar factores predisponentes y precipitantes en un diagnóstico como hemos comentado pero todavía con problemas de consenso metodológico. *El Índice Internacional de Funcionamiento Eréctil* sería una base como en el resto de disfunciones sexuales masculinas, en donde también se podría medir el denominado tiempo de latencia masturbatoria para ayudar a compararlo con una demora en la eyaculación coital. También podría complementarse con el *Autorregistro Funcional de la Respuesta Sexual Masculina* y el *Autorregistro Funcional de la Autoestimulación Masculina.*

Variables psicológicas

Se ha atribuido este problema a una falta de estimulación física y mental. Esta teoría fue inicialmente presentada por Masters y Johnson, y Bancroft. Se diría que se achaca la eyaculación retardada a una estimulación disminuida del propio pene o a cómo el cerebro procesa los estímulos.

Otros autores lo han asociado a patrones inusuales o bizarros de masturbación o fantasías. Perelman lo asocia a otros factores que pacientes con retardo eyaculatorio tenían en común, que serían:

- Mayor frecuencia masturbatoria que la media.
- Un estilo de masturbación particular difícilmente reproducible con la boca, mano o vagina de su pareja.

Podría deberse, igualmente, a una falta de deseo sexual camuflado por esta eyaculación retardada, con lo que esta sería una consecuencia secundaria. También unas relaciones sexuales poco edificantes o muy mecánicas (quizás con parejas de larga duración) pueden ser una causa de un retardo eyaculatorio "normal", no atribuible a un diagnóstico, sino por una falta de deseo. Así mismo, situaciones de abuso sexual y trauma pueden generar una ansiedad elevada, así como fobias sociales, creencias religiosas basadas en el miedo al sexo…

Variables orgánicas

La edad sería el factor más relevante ya que, a mayor edad, mayor probabilidad de aparición del mismo. Dicho problema podría deberse a una pérdida de sensibilidad del pene con factores asociados que generan esta problemática. Como en otros trastornos, existe cierta confusión y polémica con los marcadores genéticos específicos. Se ha estudiado la influencia de la serotonina, sobre todo por el síntoma de eyaculación retardada que se presenta en personas con medicación IRSS, pero son pocas las replicaciones para confirmar esta hipótesis.

Como causas orgánicas podrían asociarse a problemas en conductos aferentes, próstata, uretra, lesiones nerviosas, infecciones urogenitales, diabetes... Se han apuntado factores hormonales asociados a la testosterona. En un estudio con casi mil participantes se vio que los síntomas característicos del retardo eyaculatorio no eran atribuibles a bajos niveles de testosterona serológicos, aunque otros estudios sí observaron una correlación positiva.

A grandes rasgos, hay consenso en que el proceso eyaculatorio es un balance entre excitadores e inhibidores en el sistema nervioso, con lo que el simple exceso o ausencia de ciertas hormonas no sustentaría su base etiológica. Igualmente, la tirotropina (hormona estimulante de la tiroides) está relacionada con la aparición de sintomatología de este diagnóstico, sobre todo en el deseo sexual hipoactivo por hipertiroidismo. También la prolactina, en altos niveles, ha sido asociada con la anorgasmia.

Por último, se han estudiado niveles de oxitocina en ratas y se ha visto que esta es un facilitador de la eyaculación al disminuir la latencia del periodo refractario tras la eyaculación. Eso sí, en un estudio con humanos, la administración de esta hormona no tuvo efecto significativo en el comportamiento sexual masculino.

Prevalencia

Tomando como muestra diversos estudios en varios países (la mayoría occidentales), la prevalencia sería de 1% a un 5% de hombres sexualmente activos. Eso sí, algunos autores se quejan de que en muchos estudios de este campo no se hace una distinción de variables realmente clara, sobre todo en la distinción entre orgasmo y eyaculación.

En nuestro centro la prevalencia es de 19,3% de las peticiones de ayuda del total de los problemas sexuales atendidos tanto de mujeres como de hombres unida a la eyaculación precoz. Este problema suele darse en hombres perfeccionistas y controladores que presentan la obligación de ser un buen amante, con actitudes sexuales negativas, con déficits en habilidades sociales para la seducción, con escaso uso o ausencia de la autoestimulación o asociado a algún trauma sexual donde la ansiedad de ejecución puede ser la última responsable que mantiene todo este proceso.

Tratamiento

Intervención psicológica

Suele tratarse mediante un Programa de Autoestimulación Dirigida y actividades sexuales de forma gradual realizándolo solo y posteriormente con la pareja.

Se iniciaría con la Autoestimulación corporal en solitario con inclusión de fantasías para lograr el orgasmo en diferentes situaciones cada vez más cercanas a la respuesta coital. Las posturas donde la mujer está de espaldas suelen ser buenas ya que permiten la autoestimulación del pene para introducirlo inmediatamente antes del orgasmo.

Puede ver el uso práctico de dichas técnicas en el segundo volumen de este libro titulado *Cómo superar un problema sexual. Protocolo IDIES: Técnicas Específicas.*

Intervención médica

Como ya hemos comentado, este sería el trastorno sexual masculino con menos evidencia científica y estudios sobre la eficacia de tratamiento empírico realizados. Ha habido estudios utilizando lisdexamfetamina que han mostrado cierta mejoría. Tendríamos también el uso de testosterona, agonistas dopaminérgicos y noradrenérgicos e incluso oxitocina, aunque como ya hemos comentado, el tratamiento a este diagnóstico estaría demasiado centrado en el caso único, en donde los factores biológicos y antecedentes personales suelen variar en demasía. Y al contrario que los anteriores diagnósticos, no existe un medicamento de referencia para el tratamiento de dicho problema.

Resumen

Problemas de eyaculación retardada

Retraso, infrecuencia marcada o incapacidad para conseguir la eyaculación.

Podría producirse por problemas de personalidad, de aprendizaje, de sensibilidad, físicos, hormonales, endocrinos y/o medicación.

En nuestro centro la prevalencia es de 19,3% de las peticiones de ayuda del total de los problemas sexuales atendidos tanto de mujeres como de hombres unida a la eyaculación precoz.

Tratamiento:

- Programa de Actividades Sexuales en solitario y en pareja.
- Mejora de la visualización y fantasías.
- Entrenamiento de la musculatura pubococcígea mediante la contracción y relajación de la musculatura que controla el reflejo eyaculatorio.
- Se ha probado alguna medicación con escasos resultados.

11. Variaciones y desviaciones sexuales

Las variaciones sexuales no supondrían un problema cuando ambos miembros de la pareja consienten en llevar a cabo cualquier conducta sexual diferente a la mayoría de la población que no ofrezca peligro ni sufrimiento. Si no se diera el consentimiento para realizar conductas sexuales o conllevaran peligro o sufrimiento a la otra persona hablaríamos de desviaciones sexuales. En nuestro centro la prevalencia es de 0,9% de las peticiones de ayuda del total de los problemas sexuales atendidos tanto de mujeres como de hombres.

Variaciones sexuales

Las variaciones sexuales podrían darse en aquellos problemas de identidad sexual y las diferencias en el tipo de actividad sexual. Entre los problemas de identidad sexual se encontrarían la disforia de género y en el segundo grupo las variaciones de tipo de actividad sexual (parafilias).

Problemas de identidad sexual

La disforia de género se produce cuando existe una marcada incongruencia entre el sexo que uno siente o expresa y el que se le ha asignado. Va asociado a un malestar clínicamente significativo en la relaciones sociales, formativas u otras áreas importantes del funcionamiento. Puede ir acompañado o no de un trastorno de desarrollo sexual. Antiguamente se denominaba transexualismo y las causas de dicho problema aún se desconocen pero podría deberse a una serie compleja de factores biopsicosociales.

Existe actualmente gran controversia para eliminarla, igual que se hizo con la homosexualidad en su día, como problema sexual. Hemos observado que, en ocasiones, las personas transexuales no presentan ningún tipo de respuesta de malestar ni dificultades de interacción cuando han asumido su rol psicológico, integrándose social y laboralmente, se hayan o no sometido a algún tratamiento hormonal y/o quirúrgico. En ese caso no se encuadraría como un problema sexual.

Nuestro centro ha atendido principalmente a jóvenes que querían comprender sus dudas sobre su género o a adultos que presentaban algún problema de adaptación social, laboral o afectivo, asociado o independiente de presentar o no problemas con la asunción de su rol. Defendimos en su día, ante nuestros representantes legislativos, el que estas personas pudieran cambiar de nombre en el registro civil.

El apoyo psicológico a estas personas sería el de asesoramiento sobre sus dudas, malestar emocional o de asunción de su rol. Es habitual que se les asesore en la puesta en práctica del "test de la vida" para enfrentarse a los problemas que le podrían acarrear aceptando siempre sus deseos y su proceso evolutivo.

Habría que apoyar a mantener la funcionalidad de su papel en el género deseado, la asunción del mismo, el apoyo al mantenimiento de la actividad educativa y laboral si la tuviera; el apoyo familiar, la superación de los problemas asociados a la posible discriminación que podrían sufrir y el desarrollo de la búsqueda de la pareja en función de sus deseos sexuales.

Por último, se les podría apoyar médicamente en el caso de que desearan modificar su morfología sexual mediante tratamientos hormonales y/o quirúrgicos. No obstante, habría que valorar psicológicamente la pertinencia de dichos tratamientos y las consecuencias emocionales que les podrían generar en dichos casos antes de iniciarlos.

Problemas del tipo de actividad sexual

Existen problemas parafílicos cuando se sienten impulsos sexuales intensos y recurrentes, fantasías o comportamientos que implican objetos, actividades o situaciones poco habituales. Dicha actividad sexual puede generar insatisfacción, sufrimiento, dolor o malestar clínicamente significativo o deterioro social, laboral o en otras áreas importantes del funcionamiento hacia uno mismo o a otras personas.

En nuestro centro la prevalencia es de 3% de las peticiones de ayuda del total de los problemas sexuales atendidos tanto de mujeres como de hombres. No se puede generalizar un único tratamiento de las parafilias por lo que es fundamental llevar a cabo el Análisis Funcional de dicha conducta. De hecho, la conducta sexual se podría dividir en la propia excitación, las habilidades sociales y emocionales que dispone la persona para llevar a cabo lo que desea, y su identidad sexual.

En el primer caso habría que valorar sus primeras experiencias sexuales y cómo han influido en sus deseos y excitación sexual. En el segundo caso, habría que estudiar las dificultades para relacionarse social y emocionalmente con los demás y que le genere una pauta inadecuada de interacción. Finalmente, sería conveniente estudiar los posibles desajustes de la identidad sexual que podría hacer que la persona no gestionara bien su disonancia.

Desviaciones sexuales

Se habla de desviaciones sexuales a cualquier tipo de actividad y de relación sexual que atenta contra la libertad de uno de los participantes. Entre sus actividades se encuentran las distintas formas de violencia y abusos sexuales como las agresiones sexuales y la pedofilia.

Tampoco se puede generalizar un único tratamiento de las desviaciones sexuales por lo que es fundamental llevar a cabo el Análisis Funcional de dicha conducta y valorar, como en las desviaciones sexuales, los aprendizajes de la propia excitación durante las primeras experiencias aprendidas, las habilidades de interacción social y emocional y los problemas de identidad sexual que podrían sufrir.

Sería necesario conocer las variables que le hacen excitarse para comenzar a desarrollar respuestas sexuales con otra persona a la que impone sus deseos, sin empatizar con la presunta víctima y logrando satisfacerse. Sería razonable analizar sus fantasías eróticas asociadas a las situaciones de seducción, agresión o imposición para poder modificarlas en la propia autoestimulación para generalizarlas en otras situaciones sexuales sin crear problemas a otra persona.

Resumen

Variaciones sexuales

Dificultad en la asunción de la identidad sexual y diferencias en el tipo de actividad sexual:

- Disforia de género: marcada incongruencia entre el sexo que uno siente o expresa y el que se la ha asignado.
- Parafilias: intensas repetidas fantasías sexuales o conductas inusuales para poder excitarse y conseguir placer.

Desviaciones sexuales

Cuando la actividad sexual atenta contra la libertad de alguno de los participantes:

- Pedofilia.
- Agresión sexual.
- Abuso sexual.

12. Cuando el problema es de pareja

Todos los problemas sexuales presentan como causa o consecuencia problemas en la relación de pareja. Las parejas saludables suelen sentirse habitualmente bien con la persona que conviven fruto del conocimiento y respeto que mutuamente se ofrecen. De igual manera, las que se encuentren mal, con emociones de enfado, tristeza o miedo tienen mayor probabilidad de que se den muestras de incomodidad. Cuando uno se siente abrumado al lado de su pareja, es síntoma de que algo va mal. Es una alarma que nos avisa, una señal que nos debería preocupar para intentar cambiar las cosas, máxime si estamos educando a unos hijos. Las emociones son sentimientos que influyen grandemente en nuestros comportamientos.

En nuestro centro la prevalencia es de 19,8% de las peticiones de ayuda del total de los problemas sexuales atendidos tanto de mujeres como de hombres, cuando va asociado a un problema sexual añadido. Según diversos estudios, las parejas que presentan una buena relación aumentan la probabilidad de vida en cinco años y disminuyen en un tercio la posibilidad de padecer enfermedades, motivo más que suficiente para intentar que nuestra relación de pareja sea más feliz.

Las personas que viven en pareja desean ser felices prevaleciendo los factores emocionales a los meramente contractuales. Cuando no se consigue, se buscan apoyos en redes familiares o sociales y, si no funcionan, en un terapeuta o en un/a amante.

La intervención necesita, primeramente, de una evaluación de los aspectos positivos y negativos de la relación como se puede ver en el en el segundo volumen de este libro titulado *Cómo superar un problema sexual. Protocolo IDIES: Técnicas Específicas*. Igualmente, se lleva a cabo una más amplia información en el libro *Cariño, vamos al cine. El Cine como Estrategia Comunicativa en la Terapia de Pareja* donde se usa el cine como aprendizaje observacional para mejorar las relaciones de pareja.

Conductas predictoras de una buena relación de pareja

Las parejas son similares a cualquier relación humana a la que se une en el guiso un proyecto en común, un nivel alto de emoción y una pizca de amistad. Estos elementos son los que hacen que la relación sea duradera. Por otro lado, también hemos visto parejas satisfechas que no eran nunca uniones perfectas. Solían discutir igual que las parejas infelices sobre los problemas comunes (sexo, amigos, familia, hijos...) pero les diferenciaba de las insatisfechas una serie de cuestiones que, registradas de forma objetiva, nos harían predecir el comportamiento futuro. Hemos intentado concretar las diferencias que hacen que una pareja se encuentre satisfecha y hemos visto que estas han ido coincidiendo con los estudios observacionales aparecidos basados en la evidencia (ver Figura 12.1).

Figura 12.1. Variables predictoras de una buena relación de pareja.

Aunque muchas personas piensan que la relación de pareja es un proceso extraordinariamente complejo en el que la mayoría de nosotros no valemos para vivir así, creemos que si sabemos qué es lo que mantiene de forma satisfactoria la relación, sería más fácil convivir con la otra persona. Hemos podido analizar que no son grandes cosas las que hacen que una pareja funcione satisfactoriamente, son pequeñas cosas las que hacen que una relación vaya bien:

Conocerse y respetarse

Cuando respetamos a la otra persona la mayoría de los problemas de pareja se resolverían cuerdamente. Todas las parejas presentan divergencias y formas diferentes de hacer las cosas y, aunque haya diferencias irresolubles, no tenemos por qué dejar de respetar al otro. Aceptarle, sería una buena máxima que haría que, cuando las diferencias vieran la luz, no se abriera la caja de Pandora.

Conocer los problemas de nuestra pareja, sus éxitos, fracasos, traumas y superación de los mismos nos hace comprender mejor su evolución personal. Saber los gustos, preferencias, desengaños y desafectos del otro nos hace poder valorarlo más sin necesidad de hacerle más daño y buscar complacerle de la mejor manera posible para ayudarle en su devenir personal.

Mostrarse mutuamente conductas afectuosas

Las parejas satisfechas suelen ser buenos amigos y generar conductas afectuosas hacia el otro. No buscan acciones espectaculares. Suelen compartir pequeños detalles cotidianos. Se comentan cómo les ha ido el día, qué le ha pasado a la niña en el colegio, se hacen el postre favorito, se preparan el desayuno, cuidan al otro cuando está enfermo, le consuelan cuando algo le atormenta, se escuchan cuando el otro les recrimina sabiendo que lo hace para mejorar la relación y no para ofenderle...

A través de las cosas poco importantes es como va creciendo la relación, se va manteniendo la llama del amor, se consigue crear un predominio de emociones gratificantes de alegría y felicidad, que serán de vital importancia cuando apunten nubarrones y así poder mitigar la tempestad cuando surja.

Lo que más suele unir a la pareja es la sensación básica de que la otra persona es digna de ser amada, se la aprecia y admira, y, a pesar de sus fallos, se la valora. Cuando esta sensación se desvanece, es muy difícil reavivar la relación.

Tener buen sexo

La mayoría de las parejas que mantienen una buena relación suelen tener buen sexo, mostrarse conductas sexuales afectuosas, excitarse con la pareja, tener una frecuencia sexual más o menos ajustada y ser fieles. Es un buen termómetro que tiene que ver con el disfrute o no de las relaciones sexuales, aunque no es siempre un valor unívoco y preciso. Saber lo que le gusta a mi pareja y que ella sepa lo que me gusta a mi es una buena forma de activar el disfrute sexual, sabiendo que también en este tema los cambios a través del tiempo son habituales por lo que habría que ir evolucionando paulatinamente. Pueden compartir o no sus fantasías sexuales e intentar llevarlas a cabo aunque, en ocasiones, podrían generar falsas expectativas que el otro no podría cumplir. Lo más fácil es aceptar que, a priori, todos los deseos, conductas e imágenes sexuales son aceptables, jugar con ellas, proponer actividades diversas y no molestarse porque el otro no desee hacer algo. Marcarse límites de seguridad, de respeto hacia uno mismo, de consideración hacia la pareja, no es una mala estrategia.

Cuando se presentan problemas sexuales suelen resolverlos de forma conjunta intentando evitar culpabilizar al otro de los mismos y buscar una solución que satisfaga a ambos.

Comunicarse eficazmente

Cuando algún comportamiento del otro les molesta suelen decirlo de forma directa, no criticando a la persona sino quejándose de la conducta. Evitan las conductas agresivas y violentas de carácter físico, psicológico o sexual contra el otro. Cuando se les comenta una queja tampoco lo interpretan de forma personal sin mantenerse a la defensiva ni responder agresivamente.

No es conveniente ignorar las quejas que nos pueda hacer nuestra pareja. Aunque estemos cansados y estresados es importante que se sienta escuchada y viceversa, que sepa que si hace algo que no nos gusta se lo podremos comentar y discutir tranquilamente.

Las parejas satisfechas de su relación evitan las formas habituales de agresión verbal como son el desprecio, la burla, el sarcasmo... Cuando las parejas empiezan a discutir usando esos términos son índices de una mala relación. Estas formas de comunicación denigran al otro y le hacen ponerse en un lugar inferior al nuestro.

Aceptar la influencia del otro

Las parejas que aceptan que el otro influya en sus decisiones suelen tener relaciones más felices y menores probabilidades de crisis. Las decisiones importantes es mejor que sean compartidas para poder evitar cometer errores. A veces, a pesar de que el otro no opine lo mismo, es bueno que uno mismo tome la decisión a pesar de las reticencias ajenas cuando estas se explicitan.

La condición posterior sería no culpabilizar al otro del error, si es que se comete, ya que había sido informado con anterioridad y dio su beneplácito. Respetar a la pareja implica aceptar su influencia, sean cuales sean nuestras opiniones personales o nuestros sistemas de valores. De hecho, cuanto más sepamos escuchar a nuestra pareja y consideremos su punto de vista, más probable es que la solución a nuestros deseos satisfaga a ambos. Si hacemos oídos sordos a las opiniones de nuestra pareja es menos probable llegar a un acuerdo.

Una pareja tiene un mejor pronóstico cuando se acepta la mutua influencia en la toma de decisiones, cuando se comparte el poder y se tiene en cuenta la opinión del otro para resolver problemas. Son capaces de poner por delante el nosotros en vez del yo, respetando las opiniones y sentimientos ajenos aunque nos sean extraños o incomprensibles. No se trata de dependencia sino de cooperación.

Sentirse bien al lado del otro

Las parejas que funcionan bien suelen sentirse habitualmente bien con la pareja con la que conviven, valga la redundancia. De igual manera, las que se encuentren mal, con emociones de enfado, tristeza o miedo, tendrán mayor probabilidad de que se den muestras de incomodidad. Cuando uno se siente abrumado al lado de su pareja, es síntoma de que algo va mal. Es una alarma que nos avisa, una señal que nos debería preocupar para intentar cambiar las cosas. Las emociones influyen notablemente en nuestros comportamientos.

Pedir perdón o romper el hielo

Cuando nos equivocamos sería conveniente pedir perdón con el fin de romper la incomodidad de la otra persona. Aunque ninguno tenga la responsabilidad del conflicto, sería razonable y práctico, para la relación, romper el hielo del enfado o silencio mutuo. Las parejas que manejan bien estos intentos de desagravio suelen tener mejor pronóstico para convivir de forma satisfactoria. El éxito o el fracaso de romper el hielo es uno de los factores que indican el nivel de la relación.

Los esfuerzos de romper el hielo intentan mitigar la tensión durante alguna fase de la discusión para lograr detener la alteración emocional propia o de la pareja. En las parejas satisfechas estos esfuerzos son escuchados, tenidos en cuenta y aceptados.

Tener buenos recuerdos y un sentido de trascendencia

En las parejas satisfechas de su relación es más frecuente que ambos miren al pasado con afecto. Tienden a recordar más los aspectos positivos que los negativos. Valoran los esfuerzos para superar los malos momentos, el apoyo que se dieron, lo agradable que fue conocerse, las anécdotas divertidas en las relaciones con el otro.

Podemos decir que una buena relación de pareja se sostiene debido a que cada día se van escribiendo vivencias agradables y se va filtrando más lo positivo de la relación que las pequeñas imperfecciones de la misma. Al final, compensa mantener la relación y se valoran los procesos de un proyecto de futuro halagüeño.

Conductas predictoras de problemas en la relación de pareja

En cualquier relación existen comportamientos que hacen más difícil la relación de pareja. Por supuesto, la violencia y las agresiones físicas solo generan miedo y suscitan venganza. Gritar lleva a huir de la conducta que la provoca y genera temor a cometer el mismo error en el futuro. Una mirada fustigante o reprender de forma repetitiva hacen que nos volvamos insensibles emocionalmente hacia el otro. Pensemos que la atención sobre el error ajeno crea dependencia, propicia una mayor búsqueda de atención y mayor inseguridad a quien la sufre.

Por otro lado, existen una serie de conductas que podemos observar en nuestra relación que llevarían a presentar graves problemas en la misma. Habría que modificar estas conductas ya que predicen un efecto perverso en la pareja (Figura 12.2).

Figura 12.2. Variables predictoras de problemas en la relación de pareja.

Es conveniente tenerlas en cuenta para saber cuándo permanecer afectuosamente unidos y cuando escapar de la relación para evitar poder sufrir consecuencias indeseables. Las parejas con problemas suelen usar una serie de actuaciones que deterioran la interacción.

En situación de maltrato en la pareja, se ha estudiado cómo la indefensión aprendida disminuye el entendimiento de la persona maltratada al generar un déficit cognitivo leve.

Usar estrategias coercitivas

Existen estrategias coercitivas cuando se intimida, coacciona o insulta a la pareja con el fin de controlar, humillar u ofender. El uso de las mismas es habitual en parejas con problemas.

Usar estrategias emocionales

Son varias las estrategias emocionales que usan las parejas cuando presentan frustraciones al no ser correspondido. El uso de la culpabilización, la burla o el desprecio es una forma de ir dañando la relación. La difamación es otra forma de maltrato emocional donde se dicen de alguien cosas relativas a su moral o su honradez que perjudican gravemente su buena fama. Intenta desacreditar al otro, sin hechos, para minusvalorarle.

El desprecio, el desdén son también otros tipos de maltrato psicológico que generan a quien lo sufre un deterioro cognitivo leve que le dificulta una visión objetiva de la relación.

La conducta evasiva puede llegar a convertirse en agresivo-pasiva, ya que se deja mostrar el enfado que se tiene hacia la otra persona, pero en cambio se evita cualquier tipo de expresión verbal que muestre lo que sentimos o deseamos.

Usar estrategias defensivas

El uso de estrategias encubiertas mediante el uso de la impericia, hacerse la víctima o desanimar al otro para conseguir sus fines es frecuente en las parejas conflictivas. Igualmente, se añaden aspectos para lograr desempoderar a la pareja de su libertad de elección y autonomía personal. Se suelen dar mensajes contradictorios donde existe una disonancia entre lo que se dice y se hace.

Responder evasivamente

Distanciarse suele ser una conducta habitual cuando alguien nos expresa una queja y mucho más frecuente si se le hacen críticas. Las conductas evasivas no ofrecen señales de reconocimiento y muestran que no nos importa demasiado lo que el otro nos diga ya que a pesar de sus comentarios evitaremos por todos los medios sentirnos heridos o alterados.

Mientras dos personas interactúan, se suelen producir señales que permiten saber al que habla que el otro está recibiendo su mensaje. Cuando se tiene una actitud evasiva, estas señales no existen, y se actúa como si el otro no existiera.

Las conductas evasivas pueden ser vistas como un acto hostil, a pesar de que el sujeto muchas veces no lo ve como una agresión y suele hacerlo para evitar una discusión y alterarse emocionalmente. Por razones de educación, es más habitual en las mujeres esta percepción de hostilidad. No obstante, realizar una comunicación evasiva, hace que el otro se sienta mal y cuando es constante suele dañar gravemente, con el tiempo, la relación. Cuando las parejas no prestan atención a los intentos afectuosos del otro tienen la misma posibilidad de generar conductas agresivas en caso de conflictos. De hecho, muchas veces el carácter evasivo acaba en señales de tipo abiertamente agresivo. Negar la evidencia es otra estrategia evasiva o de engaño, generalmente usada por el hombre, que expresa que lo que se ha dicho o visto no es cierto para que el otro se entretenga en demostrarla en vez de valorar el trasfondo del tema.

Esta forma de comunicación creará a la larga un distanciamiento profundo entre la pareja. No siempre somos conscientes de nuestros errores y no solemos actuar equivocadamente, pero si nos exponen nuestros errores y fallos y nos negamos a reconocerlos y, seguidamente, atacamos el otro, la relación se irá deteriorando.

Incluso, cuando se intenta pedir perdón o dejar un tiempo para solucionar algún problema existente, si la otra persona se muestra insensible ante esta iniciativa, llevará al distanciamiento. Indicaría un claro signo de grave problema en la relación. Si nuestra pareja no responde ante nuestros intentos sinceros de solucionar un problema y no acepta nuestras disculpas, algo grave está ocurriendo y hay que analizarlo con detalle para evitar que ese distanciamiento se siga produciendo y que empeore y distancie aún más la interacción.

Existen también formas encubiertas que tienen que ver con dar pena, "hacerse el tonto" o usar mensajes contradictorios. Un ejemplo de esto sería si el marido le expresa su beneplácito porque su esposa se vaya a cenar con sus amigas, pero cuando regresa le recrimina la hora de llegada o está de mal humor esperándola.

Usar la violencia en las discusiones

Por supuesto, la violencia y las agresiones físicas solo generan miedo y suscitan venganza. Gritar lleva a huir de la conducta que la provoca y genera temor a cometer el mismo error en el futuro. La ira se refuerza a sí misma. Es falsa la idea de que gritar desahoga: gritar incita a seguir gritando. Una mirada fustigante o reprender de forma repetitiva hacen que nos volvamos insensibles emocionalmente hacia el otro.

El mejor indicativo de que una disputa en una pareja no va por buen camino es el modo en que esta se plantea y en cómo termina. Empezar con reproches criticando de forma sarcástica y despreciando al otro es una garantía de fracaso, ya que se genera más rechazo y violencia en la otra persona. Podría dar lugar al maltrato. Cuando las parejas comienzan con críticas de forma violenta en vez de quejas razonables, suelen terminar generalmente de forma negativa y hacen un daño que poco a poco irá minando la relación exacerbando los pensamientos negativos. Un planteamiento agresivo y beligerante es una garantía de fracaso comunicacional. Incluso, como comentamos, llega a predecir cómo terminará la discusión.

Cuando existe un maltrato físico, psicológico y/o sexual, la pérdida gradual de confianza suele ser la norma. Cuando la diferencia de la pareja (en poder, capacidad, autoestima...) es significativa, pueden darse situaciones de maltrato y desencadenarse una espiral en la que la víctima suele salir bastante mal parada. Puede ocurrir, como, desgraciadamente, hemos visto en muchos momentos, que la víctima piense que lo mejor que puede hacer es mantenerse en silencio, aguantar "por amor" el maltrato de la pareja y creer, infructuosamente, que en algún momento el otro reconocerá nuestro esfuerzo personal por el bien ajeno.

Controlar

Existen también formas de control específicas que crean dependencia y evitan la autonomía de la otra persona. Entre estas tenemos el control económico, de espacio, el ninguneo en la toma de decisiones y el aislar socialmente a la pareja. Además, se suele ejercer el control del móvil, la localización, las personas con las que se relaciona, los gastos, aspectos laborales y situaciones que generen desconfianza y dudas en la relación afectiva. Se tiende a aislar a la pareja restringiendo o limitando las relaciones sociales, familiares y laborales o proyectos que deseen desarrollar. Igualmente, se fiscalizan los gastos y se controla el uso del espacio común adueñándose del mismo.

Es habitual este proceso en las parejas donde existe el maltrato que se suele dar en ciclos de violencia y de poder-control para someter a la pareja. Desde el factor agresivo de reproche se llega a un proceso de sumisión usando el desdén y la crítica como elemento de control. Igualmente, pensamos que en el maltrato es importante el papel de la oxitocina. Esta hormona hace que exista el factor de unión traumática que crea intensos vínculos afectuosos que impiden reconocer el maltrato cuando este se produce.

Observamos también, en ocasiones, que la represión del enfado por déficits en habilidades comunicativas podría dar lugar al resentimiento crónico que, en el desarrollo posterior, modificaría la percepción del otro. Igualmente, hemos comprobado que determinados tipos de personalidades compulsivo-dependientes son también más propicias a realizar o recibir maltrato.

Sentirse abrumados

Un claro signo de que nuestra relación atraviesa una grave crisis, es que con la mera presencia de nuestra pareja y ante cualquier comentario neutro e intrascendente por su parte, tenemos una gran activación fisiológica (sudores, incremento de ritmo cardíaco, molestias diversas) que nos hace sentirnos mal. Esto tiene difícil solución si nuestra pareja reacciona con desagrado constante a nuestra presencia y lo mismo nos ocurre a nosotros con ella. Es un grave indicador de nuestra distancia afectiva y predice graves problemas en la relación.

Cuando la queja es razonable, solo nos quedaría aceptarla. Si nos hemos equivocado, sería conveniente asumirlo y pedir perdón por ello. A veces, habría que explicar los motivos que nos han hecho equivocarnos pero sin responsabilizar al otro del error, comenzando con el consabido *es que tú...* para excusarnos, con lo que la rueda seguirá girando. La crítica de uno y la respuesta agresiva del otro será así una carrera de relevos que hará más difícil poder buscar una solución al conflicto. Ante el desprecio del otro, los únicos antídotos para parar esta escalada son el afecto y la admiración ajena.

Tener problemas sexuales

Cuando las parejas están en crisis es habitual que el disfrute sexual se deteriore, se distancien las relaciones sexuales perdiendo el carácter reforzador de dichas conductas. En ocasiones, en contadas parejas, hemos visto que es lo único que les une. Tienen buen sexo a pesar de que todo lo demás hace aguas. No obstante, como comentamos antes, el sexo es un buen medidor de la relación de la pareja.

Peor salud

Es cierto, al menos estadísticamente, que las personas que conviven suelen ser más felices cuando la calidad de su relación es buena. Las personas felices en pareja viven más tiempo, disfrutan de mejor salud que las separadas o que aquellas involucradas en una relación infeliz. Este hecho podría deberse al escaso estrés que supone la convivencia con una pareja confortable que beneficiaría nuestro sistema inmunológico y evitaría la enfermedad, así como el que alguien se preocupe de vivir de una forma sana o cuidar del otro cuando cae enfermo.

Tener malos recuerdos

Cuando una relación se termina solo afloran los malos recuerdos. Se tiende a recordar más los aspectos negativos de la convivencia. Generan una larga lista de agravios que hacen olvidar los buenos momentos. Se filtra la falta de apoyo que recibieron del otro, las situaciones de abandono, rencor por acciones no realizadas u omisiones lesivas.

Cuando las parejas van mal se reescriben, para peor, los recuerdos o apenas pueden recordar el agradable pasado que les unió. Les es muy difícil traer a la memoria las actividades que les unen y valorar con entusiasmo los buenos momentos que pasaron juntos.

Resumen

Variables de pareja

Las variables que predicen una buena relación de pareja son:

- Conocerse y respetarse.
- Mostrarse mutuamente conductas afectuosas.
- Tener buen sexo.
- Comunicarse eficazmente.
- Aceptar la influencia del otro.
- Sentirse bien al lado del otro.
- Pedir perdón y romper el hielo si se equivocan.
- Tener buenos recuerdos y un sentido de trascendencia.

Las variables que predicen problemas en la relación de pareja son:

- Usar estrategias coercitivas, emocionales y defensivas.
- Responder evasivamente y usar la violencia.
- Controlar.
- Sentirse abrumados, tener problemas sexuales y un peor estado de salud.
- Tener malos recuerdos.

Existen diversas formas de maltrato que es conveniente conocer para evitarlas en las relaciones de pareja:

- Coercitivas.
- Emocionales
- De control.
- Evasivas y de engaño
- Encubiertas.

BIBLIOGRAFÍA

ABDEL-HAMID, I.A. y ALI, O.I. (2018). Delayed ejaculation: pathophysiology, diagnosis, and treatment. *The World Journal of Men's Health*, *36*(1), 22-40.

ABRAHAM, G. y PORTO, R. (1979). *Terapias sexológicas*. Madrid. Pirámide.

AGGLETON, P. y CAMPBELL, C. (2000). Working with young people – towards an agenda for sexual health. *Sexual and Relationship Therapy, 15*(1), 283-296.

ALTMAN, C. (1985). *Autoterapia sexual.* Barcelona. Aura.

ÁLVAREZ-GAYOU, J.L. (1986). *Sexoterapia integral.* México. Manual Moderno.

ARANCIBIA, G. (2002). *Placer y sexo en la mujer.* Madrid. Biblioteca Nueva.

AMERICAN PSYCHIATRIC ASSOCIATION (2002). *DSM-IV TR. Manual diagnóstico y estadístico de los trastornos mentales.* Barcelona. Masson.

— (2014). *DSM-5. Manual diagnóstico y estadístico de los trastornos mentales.* Madrid. Panamericana.

BANCROFT, J. y otros (2000). The dual control model of male sexual response: a theoretical approach to centrally mediated erectile dysfunction. *Neurosci Biobehav Rev, 24,* 571-579.

BARLOW, D.H. (1986). Causes of sexual dysfunction: The role of anxiety and cognitive interference. *Journal of Consulting and Clinical Psychology*, *54*(2), 140.

BASSON, R. (2000). The female sexual response: a different model. *Journal of Sex and Marital Therapy, 26*(1), 51-65.

— (2003). Definitions of women sexual dysfunction reconsidered: advocating expansion and revision. J *Psychosom Obstet Gynecol,* 24, 221-229.

BAUMEISTER, R.F., CATANESE, K.R. y VOHS, K.D. (2001). Is there a gender difference in strength of sex drive? Theoretical views, conceptual distinctions, and a review of relevant evidence. *Personality and Social Psychology Review, 5*(3), 242-273

BEACH, F.A. y FORD, C.S. (1978). *Conducta sexual.* Barcelona. Fontanella.

BECK, A.T. (1996). *Con el amor no basta.* Barcelona. Paidós.

BÉJAR, S. de (2001). *Tu sexo es tuyo.* Barcelona. Plaza y Janés.

BERNSTEIN, D.A. y BORKOVEC, T. (1987) *Entrenamiento en relación progresiva.* Bilbao. Desclée de Brouwer.

BERTOMEU, O. (2002). *Guía práctica de la sexualidad femenina.* Madrid. Temas de hoy.

BINIK, Y.M. y HALL, K.S.K. (Eds.). (2014). *Principles and practice of sex therapy.* New York. Guilford Publications.

BOLINCHES, A. (2001). *Sexo sabio.* Barcelona. Grijalbo.

— (2006). *Amor al segundo intento: Aprende a amar mejor.* Barcelona. Grijalbo.

— (2010). *Piter Pan puede crecer: el viaje del hombre hacia su madurez.* Barcelona. Grijalbo.

— (2012). *Tú y yo somos seis: cien reflexiones para crecer por dentro y relacionarte mejor.* Barcelona. Grijalbo.

BOCKAJ, A., ROSEN, N.O. y MUISE, A. (2019). Sexual motivation in couples coping with female sexual interest/arousal disorder: A comparison with control couples. *Journal of Sex and Marital Therapy*, *45*(8), 796-808.

BOTH, S. (2017). Recent developments in psychopharmaceutical approaches to treating female sexual interest and arousal disorder. *Current Sexual Health Reports*, *9*(4), 192-199.

BRACKETT, N.L y otros (2010). *Treatment of infertility in men with spinal cord injury. Nat Rev Urol. 2010; 7:*162–172. [PubMed: 20157304].

BREWSTER, M. y WYLIE, K.R. (2001). A comparison of sexually explicit illustrations for use in psychosexual therapy. *Sexual and Relationship Therapy, 16*(1), 13-29.

BÚRDALO, B. (2000). *Amor y sexo en internet.* Madrid. Biblioteca Nueva.

CABELLO, F. ((2004). *Disfunción eréctil: un abordaje integral.* Madrid. Psimática.

CABELLO, F. y LUCAS, M. (2002). *Manual médico de terapia sexual.* Madrid. Psimática.

CÁCERES, J. (2001). *Sexualidad humana. Diagnóstico psicofisiológico.* Bilbao. Deusto

CANAT, L y otros (2017). Assessment of hormonal activity in patients with premature ejaculation. *International Braz J Urol, 43(2)*, 311-316

CAREY, M.P. (1997). Tratamiento cognitivo conductual de las disfunciones sexuales. En V. Caballo (Dir.). *Manual para el tratamiento cognitivo-conductual de los trastornos psicológicos.* Madrid. Siglo XXI.

CARRASCO, M.J. (2001). *Disfunciones sexuales femeninas.* Madrid. Síntesis.

CARROBLES, J.A. (Ed.) (1985). *Análisis y modificación de conducta II: Aplicaciones clínicas.* Madrid. UNED.

— (1990). *Biología y psicofisiología de la conducta sexual.* Madrid. Fundación Universidad-Empresa.

CARROBLES, J.A. y SANZ, A. (1991). *Terapia sexual.* Madrid. Fundación Universidad-Empresa.

CARSON, C.C. y PATEL, M.P. (1999). The epidemiology, anatomy, physiology, and treatment of erectile dysfunction in chronic renal failure patients. *Advances in Renal Replacement Therapy, 6*(4), 296-309.

CATALÁN, A., MIR, J. y BORRÁS, J.J. (2002) *Vademecum de efectos antisexuales.* Valencia. V Jornadas de Sexología.

CHUNG, E., GILBERT, B., PERERA, M. y ROBERTS, M.J. (2015). Premature ejaculation: A clinical review for the general physician. *Australian Family Physician, 44*(10), 737.

CLAYTON, A.H. y otros (2014). Sexual dysfunction associated with major depressive disorder and antidepressant treatment. *Expert Opinion on Drug Safety, 13*(10), 1361-1374.

CLAYTON, A.H. y JUAREZ, E.M.V. (2017). Female sexual dysfunction. *Psychiatric Clinics, 40* 2), 267-284.

CLEMENT U. (2002). Sex in Long-Term Relationships: A Systemic Approach to Sexual Desire Problems. *Archives of Sexual Behavior, 31*(3), 241-246.

COMFORT, A. (1977). *El placer de amar.* Barcelona. Blume.

CORONA, G. y otros (2009). Original Research Endocrinoloy: Hypoprolactinemia: A New Clinical Syndrome in Patients with Sexual Dysfunction. *The Journal of Sexual Medicine, 6*(5), 1457-1466

CORONA, G. y otros (2011). Perceived ejaculate volume reduction in patients with erectile dysfunction: psychobiologic correlates. *Journal of Andrology*, *32*(3), 333-339.
COSTA, M. y LÓPEZ, E. (1999). *Cómo vencer la pereza sexual.* Madrid. Temas de hoy.
CRISTÓBAL, P. (2000). *El sexo contado con sencillez.* Madrid. Maeva.
CROOKS, R. y BAUR, S. (2000). *Nuestra sexualidad.* México. Thomson.
CUETO, D. y CUETO, M.A. (2012). Uso de escenas de cine en terapia sexual y de pareja. *Rev. Prolepsis, 12,* 8-13.
— (2012). From Love to Abuse in Couples. *Abstract Book Eleventh Congress of the European Federation of Sexology, 48.*
— (2013). Del amor al maltrato en la pareja. *Rev. Prolepsis, 15,* 40-49.
— (2015). Pareja, hijos y tiempo libre: ¿es posible? *Prolepsis, 19,* 20-27.
— (2016). Autorregistro Funcional de la Respuesta Sexual. *Prolepsis, 20,* 77-104.
— (2016). Escala de Ajuste de Pareja (EAP). *Prolepsis, 20,* 138-160.
— (2019). Cine y modelado social en la terapia sexual y de pareja. En RÍO, F.J., CABELLO, M. y FRANCO, S. (Eds.). *Novedades en Sexología Clínica,* 26-31. Jerez de la Frontera. Sotavento.
— (2020). *Cariño, vamos al cine. El Cine en la Terapia de Pareja como Estrategia Comunicativa.* León. Cepteco.
CUETO, M.A. (2006). Sexo y comunicación en la pareja. *Rev. Sexpol, 59,* 18.
— (2006). *Sexo en la pareja.* Madrid. Biblioteca Nueva.
— (2006). Terapia combinada de los problemas sexuales. *Rev. Sexología Integral, 3*(3), 137-138.
— (2007). Un relación de cine. *Sexologies*, 2, 70-73.
— (2008). *Uso de escenas de cine y videos formativos en terapia sexual y de pareja.* X Congreso Español de Sexología.
— (2008). Tratamiento de grupo con hombres maltratadores. *Rev. Sexpol, 83,* 8-12.
CUETO, D., ESTRADA, M. y CUETO, M.A. (2017). Aplicación clínica de la Escala de Ajuste de Pareja (EAP). En CABELLO-GARCÍA, M.; RÍO, F.J. y CABELLO-SANTAMARÍA, F. (Comps.)*Avances en Sexología Clínica.* 43-50. Jerez de la Frontera. Sotavento.
DÍAZ, J. (2002). Insuficiencia androgénica y disfunciones sexuales femeninas en mujeres pre y postmenopaúsicas (Parte I). *Revista de Terapia Sexual y de Pareja, 14,* 6-43.
— (2002). Insuficiencia androgénica y disfunciones sexuales femeninas en mujeres pre y postmenopaúsicas (Parte II). *Revista de Terapia Sexual y de Pareja, 15,* 3-57.
DI SANTE, S. y otros (2016). Epidemiology of delayed ejaculation. *Translational Andrology and Urology*, *5*(4), 541.
DODSON, B. (1989). *Sexo para uno.* Madrid. Temas de hoy.
ECHEBURÚA, E. (1999). *¿Adicciones sin drogas? Las nuevas adicciones, juego, sexo, compras, trabajo, internet…* Bilbao. Desclée de Brower.
EL-HAMD, M.A., SALCH, R. y MAIZOUB, A. (2019). Premature ejaculation: an update on definition and pathophysiology. *Asian Journal of Andrology*, *21*(5), 425.

EVERAERD, W. y BOTH, S. (2000). Memories of you: on women's sexual desire. *Sexual and Relationship Therapy, 15*(1), 321-324.

FELDMAN, H.A. y otros (1994). Impotence and its medical and psychosocial correlates: results of the Massachusetts Male Aging. *The Journal of Urology, 151*, 54-61.

FARRÉ, J.M. (1983). *Manual de conducta sexual.* Barcelona. Océano.

FARRÉ, J.M. y LASHERAS, M.G. (1998). *Psiquiatría y disfunción eréctil.* Madrid. Garsi.

— (2002). Disfunción eréctil psicógena y mixta: estudio de seguimiento terapéutico. *Actas Españolas de Psiquiatría, 30*(1), 38-45.

FERNÁNDEZ, E. (1991). *200 preguntas sobre sexo.* Madrid. Temas de Hoy.

FERNÁNDEZ, R. y CARROBLES, J.A. (Directores.) (1983). *Evaluación conductual. Metodología y aplicaciones.* Madrid. Pirámide.

FUERTES, A. y LÓPEZ, F. (1997). *Aproximaciones al estudio de la sexualidad.* Salamanca. Amarú.

GARCÍA, J.L. (2000). *Educación sexual y afectiva en personas con minusvalía psíquica.* Cádiz. Asociación Síndrome de Down Cádiz y Bahía.

GARCÍA-GIRALDA, L., GUIRAO, L. y SANDOVAL, C. (2003). Disfunción eréctil como marcador del estado de salud. (Programa APLAUDE). *Revista de Terapia Sexual y de Pareja, 16*, 57-72.

GINDÍN, L.R. y RESNICOFF, D.M. (2002). Medicalización de los trastornos sexuales femeninos: ¿El mejor camino? *Revista de Terapia Sexual y de Pareja, 13*, 79-102.

GOLDMEIER, D. (2001). "Responsive" sexual desire in women-managing the normal? *Sexual and Relationship Therapy, 16*(1), 381-387.

GÓMEZ, J. (1997). Evolución histórica del conocimiento científico de la respuesta sexual. En *Avances en Sexología.* Bilbao. Universidad del País Vasco.

GOODWACH, R. (2005). Fundamentals of Theory and Practice Revisited: Sex Therapy: Historical Evolution, Current Practice. Part I. *Australian and New Zealand Journal of Family Therapy, 26*(3), 155-164.

GOTWALD, W.H. y GOLDEN, G.H. (1983). *Sexualidad. La experiencia humana.* México. El Manual Moderno.

GOTTMAN J.M. y LEVENSON R.W. (1999). How stable is marital interaction over time? *Family process, 38(2)*, 159-165.

— (1999). What predicts change in marital interaction over time? A study of alternative models. *Family process, 38(2),* 143-158.

— (1999). Rebound from marital conflict and divorce prediction. *Family process, 38*, 3, 287-292.

GOTTMAN, J.M. y SILVER, N. (2001). *Siete reglas de oro para vivir en pareja.* Barcelona. Plaza & Janés.

GOTTMAN, J.M., y otros (1976). Behavior exchange theory and marital decision-making. *Journal of personality and social psychology, 34.*

GOTTMAN, J.M., MARKMAN, H. y NOTARIUS, C. (1977). The topography of marital conflict: A sequential analysis of verbal and non verbal behaviour. *Journal of marriage and the family, 39.*

GOTTMAN J.M. y otros (2003). *The Mathematics of Marriage. Dynamic Nonlinear Models*. Cambridge. Mit Press.

GRAHAM, C.A. y otros (2004). Turning On and Turning Off: A Focus Group Study of the Factors That Affect Women's Sexual Arousal. *Archives of Sexual Behavior, 33*(6), 527-538.

HARTMANN, (1998). Erectile dysfunction: psychological causes, diagnosis and therapy. *Therapeutische Umschau, 55*(6), 352-356.

HASLAM, M.T. (1980). *Disfunciones sexuales*. Barcelona. Doyma.

HAWTON, K. (1988). *Terapia sexual*. Barcelona. Doyma.

HEIMAN, J.L. y LOPICCOLO, J. (1989). *Para alcanzar el orgasmo*. Barcelona. Grijalbo.

HERRERAS, M. y CUETO, M.A. (1998). Viagra; eficaz recurso para la terapia en la impotencia sexual. *Boletín FESS, 1*(2), *5*.

HITE, S. (1991). *El informe Hite. Estudio de la sexualidad femenina*. Barcelona. Plaza y Janés.

HOOPER, A. (1988). *Masaje y amor*. Esplugués de Llobregat. Granica.

HURTADO, F., ESCRIVÁ, P., CATALÁN, A. y MIR, J. (2002). Vademecum sexual: Fármacos y disfunción sexual. *Cuadernos de Medicina Psicosomática y Psiquiatría de Enlace, 62-63*, 51-82.

JAN, M.E. y WATSON, J.P. (2000). A new treatment for premature ejaculation: case series for a desensitizing band. *Sexual and Relationship Therapy, 15*(1), 345-350.

JANNINI, E.A. y otros (2014). Health-Related Characteristics and Unmet Needs of Men with Erectile Dysfunction: A Survey in Five European Countries. *The Journal of Sexual Medicine*, *11*(1), 40-50.

JANNINI, E. y otros (2015). Premature ejaculation: old story, new insights. *Fertility and Sterility*, *104*(5), 1061-1073.

JANSSEN, E. y BANCROFT, J. (2007). The dual-control model: The role of sexual inhibition and excitation in sexual arousal and behavior. *The Psychophysiology of Sex*, *15*, 197-222.

JANSEN, P.K. (2014). *Time will tell: genetic influences on ejaculation time* (Doctoral dissertation, Utrecht University).

KAPLAN, H.S. (1982). *Trastornos del deseo sexual*. Barcelona. Grijalbo.

— (1983). *Manual ilustrado de terapia sexual*. Barcelona. Grijalbo.

— (1984). *La nueva terapia sexual 1 y 2*. Madrid. Alianza.

— (1987). *El sentido del sexo*. Barcelona. Grijalbo

— (1988). *Disfunciones sexuales*. Barcelona. Grijalbo.

— (1990). *La eyaculación precoz. Cómo reconocerla, tratarla y superarla*. Barcelona. Grijalbo.

KAPLAN, H.S. y otros (1985). *Evaluación de los trastornos sexuales*. Barcelona. Grijalbo.

KANTOR, J.R. (1978). *Psicología interconductual. Un Ejemplo de construcción científica sistemática*. México. Trillas.

KINGSBERG, S.A., CLAYTON, A.H. y PFAUS, J.G. (2015). The female sexual response: current models, neurobiological underpinnings and agents currently approved or under investigation for the treatment of hypoactive sexual desire disorder. *CNS Drugs*, *29*(11), 915-933.

KINGSBERG, S.A. y otros (2017). Female sexual dysfunction—medical and psychological treatments, committee 14. *The Journal of Sexual Medicine*, *14*(12), 1463-1491.

KLINE-GRABER, G. y GRABER, B. (1975). *El orgasmo de la mujer.* Barcelona. Picazo.

LABRADOR, F.J. (1994). *Disfunciones sexuales.* Madrid. Fundación Universidad-Empresa.

LARRAZABAL, M. (2012). *Sexo para torpes.* Madrid. Anaya Multimedia.

LAUMANN, E.O., PAIK, A. y ROSEN, R.C. (1999). Sexual dysfunction in the United States: prevalence and predictors. *JAMA, 281,* 537-544.

LAZARUS, A.A. (1983). *Terapia multimodal.* Buenos Aires. Ippem.

— (1980). *Terapia conductista. Técnicas y perspectivas.* Buenos Aires. Paidós.

LEIBLUM, S.R. (2004). Clasificación de los trastornos sexuales femeninos: nuevas perspectivas. *Revista de Terapia Sexual y de Pareja, 19,* 4-30.

LEVAY, S. (1995). *El cerebro sexual.* Madrid. Alianza.

LEVIN, R.J. (2004). An orgasm is… who defines what an orgasm is? *Sexual and Relationship Therapy, 19*(1), 101-107.

LIZZA, E.F. y otros (1999). Definition and classification of erectile dysfunction: report of the Nomenclature Committee of the International Society of Impotence Research. *Int J Impot Res, 11,* 141-143.

LÓPEZ, F. (2002). *Sexo y afecto en personas con discapacidad.* Madrid. Biblioteca Nueva.

LÓPEZ, F. y FUERTES, A. (1990). *Para comprender la sexualidad.* Estella. Verbo Divino.

LOWEN, A. (2000). *Amor y orgasmo.* Barcelona. Kairós.

LUDWIG, W. y PHILLIPS, M. (2014). Organic causes of erectile dysfunction in men under 40. *Urologia Internationalis*, *92*(1), 1-6.

LUE, T.F. (2000). Erectile dysfunction. *N Engl J Med, 342,* 1802-1813.

M30M (2002). Técnicas para superar los problemas sexuales. Málaga.

MALO, C. (1992). *Los españoles y la sexualidad.* Madrid. Temas de hoy.

MALO, C., VALLS, J.M. y PÉREZ, A. (1988). *La conducta sexual de los españoles.* Barcelona. B.

MARINA, J.A. (2002). *El rompecabezas de la sexualidad.* Barcelona. Anagrama.

MARK, K.P., y LASSLO, J.A. (2018). Maintaining sexual desire in long-term relationships: A systematic review and conceptual model. *The Journal of Sex Research*, *55*(4-5), 563-581.

MARTÍN, A. y otros (2001). Prevalence and independent risk factors for erectile dysfunction in Spain: results of the Epidemiología de la Disfunción Eréctil Masculina Study (EDEM). *The Journal of Urology, 166*(2), 569-574.

MASTERS, W.H. y JOHNSON, V.E. (1981). *Incompatibilidad sexual humana.* Buenos Aires. Intermédica.

— (1981). *Respuesta sexual humana.* Buenos Aires. Intermédica.

— (1979). *Homosexualidad en perspectiva.* Buenos Aires. Intermédica.

— (1988). *El vínculo del placer. Un nuevo enfoque del compromiso sexual.* Barcelona. Grijalbo.

MATESANZ, A. (1997). *Evaluación estructurada de la personalidad.* Madrid. Pirámide.

— (2000). *La eyaculación precoz.* Madrid. Biblioteca Nueva.

— (2003). *El deseo sexual en el hombre.* Madrid. Biblioteca Nueva.

— (2018). *Sexualidad masculina: aspectos culturales y cambio social del año 1976 a 2010 en España.* Madrid. Complutense.

MAYOR, J. y LABRADOR, F.J. (Eds.) (1984). *Manual de Modificación de Conducta.* Madrid. Alhambra.

McCABE, M.P. y otros (2016). Definitions of sexual dysfunctions in women and men: a consensus statement from the Fourth International Consultation on Sexual Medicine 2015. *The Journal of Sexual Medicine, 13*(2), 135-143.

McCARY, J.L. y McCARY, S.P. (1983). *Sexualidad humana de McCary.* México. El Manual Moderno.

McMAHON, C.G., JANNINI, E.A., SEREFOGLU, E.C. y HELLSTROM, W. J. (2016). The pathophysiology of acquired premature ejaculation. *Translational Andrology and Urology, 5*(4), 434.

MESTON, C.M. y STANTON, A.M. (2017). Evaluation of female sexual interest/arousal disorder. In *The textbook of clinical sexual medicine* (pp. 155-163). Springer, Cham.

MIN, K. y otros (2001). Experimental models for the investigation of female sexual function and dysfunction. *International Journal of Impotence Research,* 13(3),151-156.

MINNEN, A. Van y KAMPMAN, M. (2000). The interaction between anxiety and sexual functioning: a controlled study of sexual functioning in women with anxiety disorders. *Sexual and Relationship Therapy, 15*(1), 1, 47-57.

MOBLEY, D.F., KHERA, M. y BAUM, N. (2017). Recent advances in the treatment of erectile dysfunction. *Postgraduate Medical Journal, 93*(1105), 679-685.

MORGENTALER, A. y otros (2017). Delayed ejaculation and associated complaints: relationship to ejaculation times and serum testosterone levels. *The Journal of Sexual Medicine, 14*(9), 1116-1124.

MUNÁRRIZ, R. y otros (2004). Tratamiento de la disfunción sexual femenina. *Revista Internacional de Andrología, 1*(2), 28-36.

MURRAY, S.H., y MILHAUSEN, R.R. (2012). Sexual desire and relationship duration in young men and women. *Journal of Sex and Marital Therapy, 38*(1), 28-40.

NAPAL, S. (1996). *El libro blanco del varón.* Salamanca. Amarú.

NIMBI, F.M. y otros (2020). Male sexual desire: an overview of biological, psychological, sexual, relational, and cultural factors influencing desire. *Sexual Medicine Reviews, 8*(1), 59-91.

OMS (1992) *CIE 10.* Madrid. Méditor.

PARRITT, S. y O'CALLAGHAN, J. (2000). Splitting the difference: an exploratory study of therapists' work with sexuality, relationships and disability. *Sexual and Relationship Therapy, 15*(1), 151-169.

PERELMAN, M.A. (2006). Psychology: A New Combination Treatment for Premature Ejaculation: A Sex Therapist's Perspective. *The Journal of Sexual Medicine, 3*(6), 1004-1012.

— (2009). The Sexual Tipping Point: A mind/body model for sexual medicine. *The Journal of Sexual Medicine, 6*(3), 629-632.

— (2018). Why the Sexual Tipping Point is a "variable switch model". *Current Sexual Health Reports, 10*(2), 38-43.

— (2020). What a Sex Therapist Wants You To Know About Treating Men With Sexual Disorders, In *Essentials of Mens' Health*, Ed. O'Leary, M. y Bhasin, S. McGraw-Hill Global.

PÉREZ, E. y LANDARROITAJAUREGI, J. (1995). Teoría de pareja: introducción a una terapia sexológica sistémica. *Revista de Sexología, 70 y 71,* 1-207.

PÉREZ, M. y BORRÁS, J.J. (1996). *Sexo a la fuerza.* Madrid. Aguilar.

PESCE, V., SEIDMAN, S.N. y ROOSE, S.P. (2002). Depression, antidepressants and sexual functioning in men. *Sexual and Relationship Therapy, 17*(2), 281-287.

POUDAT, F.J. (2000). *Cómo vivir mejor la sexualidad en pareja.* Madrid. Síntesis.

PRYOR, J.P. (2001). Orgasmic and ejaculatory dysfunction. *Sexual and Relationship Therapy, 16*(1), 87-95.

— (2002). Pharmacotherapy of erectile dysfunction. *Sexual and Relationship Therapy, 17*(2), 389-400.

REED, G.M. y otros (2016). Disorders related to sexuality and gender identity in the ICD-11: revising the ICD-10 classification based on current scientific evidence, best clinical practices, and human rights considerations. *World Psychiatry, 15*(3), 205-221.

REICH, W. (1971). *The invasion of compulsory sex-morality.* Macmillan.

— (1987). *La función del orgasmo.* Barcelona. Paidós.

RESEL, L., SILMI, A. y MORENO, J. (Eds.) (2004). *Disfunción eréctil.* Madrid. Servicio de Publicaciones Universidad Complutense.

RODRÍGEZ, L., GONZALVO, A., PASCUAL, D. y RIOJA, L.A. Disfunción eréctil. *Actas Urológicas Españolas, 26*(9), 667-690.

ROSEN, R.C. (2001). Psychogenic erectile dysfunction: classification and management. *Urol Clin North Am, 2001, 28,* 269-278.

ROSENBAUM, T.Y. (2005). Physiotherapy treatment of sexual pain disorders. *Journal of sex and Marital Therapy, 31*(4), 329-340.

SÁNCHEZ, A. (2002) Lesión medular: sexualidad y reproducción. *Revista de Terapia Sexual y de Pareja 12,* 12-43.

SECO, K. (2002). Eyaculación precoz. Revisión conceptual e investigación clínica. *Revista Española de Sexología, 113-114,* 3-238.

— (2009). *Eyaculación precoz: manual de diagnóstico y tratamiento (una visión integradora).* Madrid. Fundamentos.

SCHAPIRO, B. (1943). Premature ejaculation: a review of 1130 cases. *The Journal of Urology, 50*(3), 374-379.

SCHNARCH, D.M. (1991). *Constructing the Sexual Crucile.* New York. W.W. Norton&Company.

SEGURA, M., SÁNCHEZ, P. y BARBADO, P. (1991). *Análisis funcional de la conducta: un modelo explicativo.* Granada. Universidad de Granada.

SEMANS, J.H. (1956). Premature ejaculation: a new approach. *Southern Medical Journal, 46,* 353-358.

SERRAT, C. y LARRAZABAL, M. (2008). *¡Adiós, corazón!* Madrid. Alianza.

SIERRA, J.C. (1991). Métodos y técnicas de evaluación de las disfunciones sexuales. En G. Buela-Casal y V. Caballo y J.C. Sierra (Comps.). *Manual de psicología clínica aplicada.* Madrid. Siglo XXI.

SIMON, P. y LUCIEN, A. (1989). *Las relaciones interpersonales.* Barcelona. Herder.

SKINNER, B.F. (1985). *Aprendizaje y comportamiento.* Barcelona. Martínez Roca.

SLOSARZ, W.J. (2002). Expectations of marriage-relations and determinants. *Sexual and Relationship Therapy, 17*(2), 381-387.

SOLOMON, H. y JACKSON, G. (2003). Erectile dysfunction-a cardiovascular disease? *Sexual and Relationship Therapy, 18*(4), 493-508.

SOULIER, B. (1995). *Los discapacitados y la sexualidad.* Barcelona. Herder.

TALEPOROS, G. (2003). Relationships, sexuality and adjustement among people with physical disability. *Sexual and Relationship Therapy, 18* (1), 25-43.

TRUDEL, G. y otros (2001). The effect of a cognitive-behavioral group treatment program on hypoactive sexual desire in women. *Sexual and Relationship Therapy, 16*(1), 145-164.

USANDIZAGA, J.A. (1990). *Bases anatómicas y fisiológicas de la sexualidad y de la reproducción humanas.* Madrid. Fundación Universidad-Empresa.

VAN ANDERS, S.M., BROTTO, L., FARRELL, J. y YULE, M. (2009). Associations among physiological and subjective sexual response, sexual desire, and salivary steroid hormones in healthy premenopausal women. *The Journal of Sexual Medicine, 6*(3), 739-751.

VAN MINNEN, A. y KAMPMAN, M. (2000). The interaction between anxiety and sexual functioning: a controlled study of sexual functioning in women with anxiety disorders. *Sexual and Relationship Therapy, 15*(1), 47-57.

VELÁZQUEZ, A. (2001). *Las agresiones sexuales.* Barcelona. Bosch.

— (2001). *Los abusos sexuales.* Barcelona, Bosch.

VIDAL, G. (2002). *Sexualmente hablando.* Madrid. Mondadori.

WALDINGER, M.D., McINTOSH, J., y SCHWITZER, D.H. (2009). A five-nation survey to assess the distribution of the intravaginal ejaculatory latency time among the general male population. *The Journal of Sexual Medicine, 6*(10), 2888-2895.

WELLS, C.G. (1990). *Creatividad sexual. Cómo activar la fantasía en su vida erótica.* Barcelona. Robinbook.

WERNEKE, U. y CROWE, M. (2002). Review of patients with erectile dysfunction attending the Maudsley psychosexual clinic in 1999: the impact of sildenafil. *Sexual and Relationship Therapy, 17*(2), 171-185.

WHIPPLE, B. (2001). Placer sexual y satisfacción en las mujeres. *Revista de Terapia Sexual y de Pareja, 12*, 42-52.

WOLPE, J. (1977) *Práctica de la terapia de la conducta.* México. Trillas.

— (1984). *Psicoterapia por inhibición recíproca.* Bilbao. Desclée de Brouwer.

WYLIE, K. (2003). Some wider opportunities for men with erectile dysfunction. *Sexual and Relationship Therapy, 18*(1), 5-6.

ZUBEIDAT, I., ORTEGA, V. y SIERRA, J.C. (2004). Evaluación de algunos factores determinantes del deseo sexual: estado emocional, actitudes sexuales y fantasías sexuales. *Análisis y Modificación de Conducta, 30*(129), 105-128.

ÍNDICE DE MATERIAS

F

G

H

I

K

M

O

P

R

S

T

LOS AUTORES

El Psicólogo General Sanitario **David Cueto Marcos** es Licenciado en Psicología por la Universidad de Oviedo y Postgrado en Psicopatología Clínica por la Universidad de Barcelona. Actualmente trabaja en *Cepteco* (León) y en el *Centre Dr. Guilera* (Barcelona) en áreas de clínica e investigación neuropsicológica. Es coautor del libro *Cariño, vamos al cine. El Cine como Estrategia Comunicativa en la Terapia de Pareja* (2020), de la Escala de Ajuste de Pareja (EAP±), del Autorregistro Funcional de la Respuesta Sexual (femenina y masculina) y el Autorregistro Funcional de la Autoestimulación (femenina y masculina), junto a diversos artículos sobre el camino que va desde el amor al maltrato hasta el uso de escenas de cine en terapia sexual y de pareja.

El Psicólogo Especialista en Psicología Clínica **Miguel Ángel Cueto,** Máster Universitario en Sexología, es director de *Cepteco* (León) y de Sísex (Sociedad Internacional de Especialistas en Sexología), dedicándose desde hace más de 35 años al tratamiento de los problemas sexuales y de pareja. Presidente de la AEES (Asociación Española de Especialistas de Sexología, 2005-2008) y Secretario General de la FESS (Federación Española de Sociedades de Sexología, 2008-2016). Ha publicado los libros *Sexo en la pareja* (2006), coautor de *Cariño, vamos al cine. El Cine como Estrategia Comunicativa en la Terapia de Pareja* (2020), de las Escala de Ajuste de Pareja (EAP±), del Autorregistro Funcional de la Respuesta Sexual (femenina y masculina) y del Autorregistro Funcional de la Autoestimulación (femenina y masculina). Responsable del blog de Cepteco y ha escrito varios artículos e impartido cursos y conferencias sobre la terapia sexual y de pareja.

LOS AUTORES

PETICIÓN

Los autores le agradecen la compra y les gustaría que hiciera un comentario sobre este libro. Podría hacerlo a través de la página donde adquirió este ejemplar, como por ejemplo:

Europa:
- España: www.amazon.es
- Alemania: www.amazon.de
- Francia: www.amazon.fr
- Italia: www.amazon.it
- Reino Unido: www.amazon.co.uk

América:
- Brasil: www.amazon.br
- Canadá: www.amazon.ca
- Estados Unidos: www.amazon.com
- México: www.amazon.com.mx

Asia:
- Japón: www.amazon.co.jp

Australia: www.amazon.com.au

— Muchas gracias —

www.ingramcontent.com/pod-product-compliance
Ingram Content Group UK Ltd.
Pitfield, Milton Keynes, MK11 3LW, UK
UKHW041640190726
13854UKWH00006B/2600